Schreckgespenster

Kinderlähmung, Starrkrampf, Diphtherie

(Polio, Tetanus, Diphtherie)

Schreckgespenster - Polio, Tetanus, Diphtherie

Inhalt

Vorwort 6

Einleitung 9

Polio 11

   Zufällige Parallelen zur Pestizidverwendung? 13

   Das ominöse 1962 in Deutschland 18

   Schluckimpfung ist süss - Kinderlähmung ist grausam! Wirklich? 20

   Fazit Polio 23

Tetanus 24

   Erkrankungsrisiko 29

   Quasi Impfzwang in der Notaufnahme 30

   Die Tetanusimpfung 32

   Fazit Tetanus 35

Diphtherie 36

   Schutzwirkung durch Diphtherieimpfung mehr als fraglich 40

   Das Wissen des Arztes - exemplarisches Beispiel 43

   Fazit Diphtherie 44

Fazit Schreckgespenster 46

Zum Autor 52

Literatur 53

Wichtige Adressen 56

Internetlinks 57

Vorwort

„Ja aber gegen Kinderlähmung (Polio) und Starrkrampf (Tetanus), also dagegen muss man schon impfen! Denn diese beiden Krankheiten sind ja so gefährlich! Und auch gegen Diphtherie, ist doch wichtig!"

Kommt Ihnen das bekannt vor? Kennen Sie diese Aussage selber auch? Wenn ja, dann sind Sie nicht alleine. Noch immer stellen die Polio, der Tetanus und die Diphtherie (im ganzen Buch werden, für das bessere Verständnis, diese drei Bezeichnungen verwendet) die Angstbilder, die Schreckgespenster schlechthin unter den Krankheiten dar, gegen welche man sich laut offiziellen Aussagen durch eine Impfung schützen kann.

Es stellen sich natürlich Fragen wie: „…sind denn diese drei Krankheiten wirklich so gefährlich?" und „…schützen die Impfungen wirklich so gut davor?" Und genau diesen und natürlich einigen weiteren Fragen gehen wir in diesem Buch auf den Grund. Die drei Krankheiten werden ausführlich besprochen, weniger auf ihre Symptome und Behandlung hin, sondern vielmehr auf ihre Geschichte und die Geschichte der Impfungen.

Dieses Buch möchte mit dem Mythos aufräumen, dass diese drei Krankheiten heute noch so gefährlich seien, wie immer wieder dargestellt wird. Es stellt deutlich ersichtlich dar, dass Polio, Tetanus und Diphtherie Erkrankungen sind, die nur unter ganz bestimmten Bedingungen aufgetreten sind und heute kaum mehr vorkommen.

Das vorliegende Buch soll aber auch zeigen, vor allem anhand des Tetanus, dass die anscheinend so eindeutig wissenschaftlich belegten, allgemeingültigen Aussagen zu deren bakteriellen und viralen Ursachen gar nicht so standfest sind. Auch bei der genaueren Betrachtung der Polio zeigt sich schnell einmal, dass auch dort nicht alles Gold ist, was glänzt. Die Diphtherie-These der Medizin steht ebenfalls auf recht wackligen Beinen.

Die Exkurse in den geschichtlichen Werdegang der drei Krankheiten helfen ebenfalls mit, diese besser zu verstehen und den schlechtesten Berater in Gesundheitsfragen in Pension zu schicken: die Angst. Viele Argumente der Impfbefürworter zerplatzen wie eine Seifenblase im Wind, wenn die Fakten hinter den Wirtschaftsinteressen bekannt werden. Nicht ohne Grund bringt es eine alte Weisheit auf den Punkt:

**Die Erkenntnisse von heute
sind nicht selten die Irrtümer von morgen.**

Diese Weisheit ist, je länger je mehr, auch heute gültig. Das Internet, welches die Welt zu einem Dorf machte, hat auch seine guten Seiten, denn es bringt Informationen an den Tag, die anderweitig, über die offiziellen Mainstream-Medien, ihren Weg in die breite Öffentlichkeit wohl nie gefunden hätten. So verhält es sich auch bei den drei Schreckgespenstern Polio, Tetanus und Diphtherie.

Dieses Buch hilft Ihnen, diese drei Krankheiten als das zu erkennen, was sie heute sind: ein schwacher Schatten der offiziellen medizinischen Lehrmeinung.

Legen Sie genau jetzt, an dieser Stelle, Ihre Ängste vor den drei Krankheiten beiseite und nehmen Sie sie beim weiteren Lesen dieses Buches nicht mit. Nach der letzten Seite vergleichen Sie bitte, ob sich diese, eingangs hier symbolisch „deponierten" Ängste noch lohnen oder ob sie teilweise, bzw. vollkommen ihre Berechtigung verloren haben.

Daniel Trappitsch
Buchs, im Februar 2014

Einleitung

Viele Eltern stehen immer wieder vor Entscheidungen wie: „Impfen ja oder Nein?", „Wenn ja, alles oder nur ein Teil?", „Polio, Tetanus und auch Diphtherie doch schon, oder?". Bei einem „Ja" auf die letzte Frage ergibt sich schnell das Problem, dass Einzelpräparate dieser drei Impfstoffe vom Arzt gesondert bestellt werden müssten. Die drei Impfungen sind, wie andere auch, meist nur noch in „Kombiimpfungen" erhältlich (heute oft bis zu sechs verschiedene Impfungen in einem Präparat). Die Zusammenführung in immer breitere Mehrfachimpfungen wird auch in Zukunft zunehmen. Denn anscheinend sei ja der „Piks" das grösste Problem, weswegen Eltern ihre Kinder, oder Erwachsene sich selbst nicht Impfen lassen wollen.

Das Problem mit der „Gewaltanwendung Impfakt", dem „Piks", am wenige Monate alten Säugling, ist mit den Kombiimpfungen sicherlich etwas geringer geworden, jedoch kenne ich keinen Fall, in welchem sich der Säugling oder das Kleinkind über den Schmerz gefreut hätten. Die grundlegende Problematik der Impfstoffe bleibt weiterhin erhalten. Die Problematik für, differenziert impfen wollende Eltern, wird dadurch allerdings grösser, weshalb es einen Ausweg daraus braucht. Trotz innerer Abwehrhaltung gegen einzelne Impfungen dann mangels Einzelimpfstoffen alles zusammen zu verabreichen, kann nicht die Lösung sein. Die Ängste vor den drei Schreckgespenstern müssen vielmehr nachhaltig aufgelöst werden, erst so kann die grundlegende Problematik ebenfalls beseitigt werden.

Polio, Tetanus und Diphtherie sind drei verschiedene Erkrankungen, wobei sich der Tetanus und die Diphtherie ähnlich sind, was die Auslösung betrifft. Nachfolgend werden alle drei Krankheiten, der besseren Übersicht wegen, in getrennten Kapiteln behandelt. Es gibt jedoch diverse Überschneidungen, auf welche hingewiesen wird, wenn die Verständlichkeit es erfordert.

Es gibt genügend Fakten, die die Angst vor den drei Krankheiten nehmen oder zumindest drastisch reduzieren können. Einerseits ist die Auslösung der Krankheiten mehr als fraglich, andererseits ist die Erkrankungshäufigkeit in den vergangenen Jahrzehnten sehr stark gesunken, wohlbemerkt bereits lange vor den Impfungen.[1]

Bei Tetanus gibt es gar eine Hochrechnung, die aufzeigt, dass die Impfung wesentlich gefährlicher ist und mehr Schäden verursacht, als die Erkrankung selbst[2].

Es können zwar auf Grund der begrenzten Seitenanzahl in diesem Buch nicht alle Winkel ausgeleuchtet werden, jedoch übernimmt dies für Ihr weiteres Studium, welches wir Ihnen ans Herz legen, die umfangreiche empfohlene Literatur im hinteren Teil des Buches.

---

[1] Siehe Literaturhinweis
[2] Siehe Buch "Die Tetanuslüge" von Hans Tolzin

Polio

Seit Mitte der 80er Jahre gibt es praktisch keine Erkrankungen mehr in Mitteleuropa. Dies bedeutet, dass die meisten Ärzte nie mit einem Fall von Polio konfrontiert wurden und sein werden. Wäre es für sie dann auch zweifelsfrei erkennbar, wenn tatsächlich ein Erkrankungsfall in ihrer Praxis vorstellig würde? Es ist also eine „unbekannte Krankheit"!

Das Wort „Polio" ist die Abkürzung für „Poliomyelitis" und steht für die „Kinderlähmung". Genau übersetzt bedeutet Poliomyelitis: „Entzündung der grauen Substanz des Rückenmarkes (Myelin)". Die Erkrankung verläuft in drei Phasen und endet im Extremfall mit den bekannten, bleibenden Lähmungserscheinungen. Als offizielle Ursache gilt ein Virus, wobei die Schulmedizin drei Typen unterscheidet. Meist sind auch alle drei Typen in einem Impfstoff enthalten.

Die letzten Fälle von Erkrankungen durch ein Wildvirus liegen Jahrzehnte zurück[3]. Mit dem Polio-Schluckimpfstoff kam es zwar selten, aber immer wieder zu Polioerkrankungen auf Grund der Impfungen.

Aus Sicht der Schulmedizin gibt es keine hilfreiche Behandlung der Polio. Der Arzt kann auch hier nur die Symptome lindern und somit unterdrücken. So ist es nicht verwunderlich, wenn die Impfung so die einzige

---
[3] Schweiz 1982, Österreich Mitte 60er, Deutschland 1978

Schutzmöglichkeit vor der Polio darstellt. Dies ist mit ein Grund, warum immer noch sehr intensiv Angst vor dieser Krankheit verbreitet und die Impfung beworben wird. Ohne anderweitige Therapiemöglichkeit liessen sich die Folgeerscheinungen nun einmal nicht verhindern, so zumindest sieht es die heutige Schulmedizin.

Die Polio ist, im Gegensatz zu vielen anderen, „wegimpfbaren" Krankheiten, eine „neuere" Erscheinung. Der erste Bericht entstammt dem Jahre 1835 in England[4], damals erkrankten vier Menschen daran. Ab 1880 gab es die ersten Epidemien. Die wenigen Fälle vor dem breiteren Auftreten, Mitte des 19. Jahrhunderts, hatten alle in irgendeiner Form mit giftigen Substanzen zu tun. Es fragt sich berechtigterweise, warum man von einer Krankheit, die derart stark und häufig aufgetreten sein soll, erst gegen Ende des 19. Jahrhunderts die erste Beschreibung erhielt! Die Pocken z.B. werden bereits im Alten Testament erwähnt, Tetanus bei Hippokrates. Wo also blieb Polio? Es ist völlig ausgeschlossen, dass sie den damaligen Ärzten nicht aufgefallen wäre, weder Hippokrates noch Paracelsus erwähnen sie mit einem einzigen Wort.

---

[4] An einer alten ägyptischen Säule aus der 18. Dynastie (1580-1350 v. Chr.) ist ein verkrüppelter, junger Mann abgebildet; vermutlich ein Priester, mit einem verkürzten linken Bein und einer Fussstellung, die typisch für eine schlaffe Lähmung ist. Die Abbildung befindet sich jetzt in einem Kopenhagener Museum. Dies wird von der Schulmedizin als älteste Abbildung, bzw. Beweis einer Polioerkrankung gesehen.

Zufällige Parallelen zur Pestizidverwendung?

Beobachtungen deuten darauf hin, dass eine Polioerkrankung, auf Grund einer Pestizidvergiftung, allenfalls in Verbindung mit Mangel- und/oder Falschernährung ausgelöst werden kann. Eine Pestizidvergiftung ist, von den Symptomen her, von einer Polio nicht zu unterscheiden.

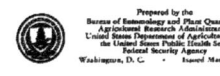

Bereits in den 50er begannen in den USA Wissenschaftler, die Polio als Viruserkrankung zu hinterfragen. Es wurde gar ein direkter Zusammenhang mit dem Insektizid Dichlordiphenyltrichlorethan (DDT) hergestellt. DDT[5] wurde, ab den 60er Jahren, in immer mehr Ländern verboten. Teilweise wird es aber noch eingesetzt, interessanterweise zum Beispiel in Indien, in welchem es bis vor wenigen Jahren noch Poliofälle gab. Mittlerweile ist das DDT auch in Indien verboten, gleichzeitig sanken die Erkrankungsfälle praktisch auf Null ab. Anscheinend soll Indien seit 2014 auch Polio frei sein[6]. Erste Schäden durch das DDT wurden bereits 1944 gemeldet. Jedoch wehrte sich die chemische Industrie gegen das

---

[5] http://chemgeneration.com/at/milestones/ddt-und-pestizide.html
[6] http://www.faz.net/aktuell/gesellschaft/kinderlaehmung-indien-ist-poliofrei-ueberlebende-werden-vergessen-12751206.html

Verbot des Kassenschlagers - was sie ja auch heute immer wieder erfolgreich tut - obwohl sich die Schadensmeldungen immer mehr zu häufen begannen. Anfänglich wurde gar empfohlen, DDT gegen Fliegen und Insekten einzusetzen, um Polio zu verhindern!

Eine Polioepidemie, im Jahre 2010 in Tadschikistan, konnte ebenfalls mit DDT und anderen Giften in Zusammenhang gebracht werden[7]. Nach dreizehn poliofreien Jahren erkrankten „plötzlich" 579 Menschen. Bei 457 konnte das Virus nachgewiesen werden. Es gab 29 Tote.

So plötzlich und unerklärlich war dieser Ausbruch jedoch nicht. Kurz vorher ereignete sich ein schweres Unwetter mit starken Regenfällen, sowie einer in Flussrichtung schwappenden Flutwelle. Die folgende Überschwemmung weichte den Boden rund um die Flüsse auf und schwemmte, darin vergrabene, Fässer an die Oberfläche. Diese Fässer enthielten unter Anderem mehrere Tonnen DDT. In Tadschikistan sind die Flüsse und das Grundwasser nebst den Quellen in den höher gelegenen Gebieten die wichtigsten Wasserquellen. Die Flüsse wurden auf Grund des kontaminierten Regenwassers verseucht, was mit grösster Wahrscheinlichkeit die Erkrankungsfälle ausgelöst hat.

---

[7] Vortrag: Dr. Jenö Ebert, Budapest anlässlich Impfsymposium Linz 2013

Schreckgespenster - Polio, Tetanus, Diphtherie

In Syrien traten im Jahre 2013 Poliofälle[8] auf. Syrien ist aktuell (2014) immer noch ein Land, welches sich in einem brutalen Krieg befindet. Der syrische Präsident Al-Assad soll Giftgas eingesetzt haben. Zu diesen Kampfstoffen gehören Senfgas[9], aber auch Sarin, welches vermutlich in Syrien eingesetzt wurde. Hier ein Auszug aus einem Fachartikel aus www.dw.de:

Sarin, das in Syrien zum Einsatz gekommen sein soll, gehört zu der Gruppe der Nervengifte. Es wurde im Zweiten Weltkrieg entwickelt und ist bereits in kleinsten Mengen tödlich. Auch Sarin gelangt nicht nur über die Atemwege in den Körper, sondern ebenfalls über die Haut.

Was ist denn Polio anderes, als ebenfalls eine Nervenerkrankung? Deshalb ist die Frage berechtigt, ob nicht doch Giftgas für die Auslösung der Epidemie in Syrien verantwortlich gemacht werden muss und nicht ein so genanntes Virus.

DDT gehört zu den chlororganischen Verbindungen, sehr ähnlich dem Senfgas, dessen Einsatz wäre also durchaus in Betracht zu ziehen, wenn nicht gar noch vorhandenes DDT mangels Alternative zur Desinfektion der zerbombten Städte eingesetzt wurde, um Epidemien zu verhindern. Sicher funktionieren die sanitären Anlagen in den zerstörten Städten nicht mehr. Es ist bekannt,

---

[8] http://www.fr-online.de/syrien/syrien-polio-ausbreitung-seuche-des-krieges,24136514,24885060.html
[9] http://de.wikipedia.org/wiki/Senfgas - Chlorverbindung

dass sich Polio über den Stuhl verbreitet. Ein Mensch kann nur dann mit fremdem Stuhl in Kontakt kommen, wenn keine sanitären Anlagen vorhanden sind, bzw. nicht funktionieren, die Notdurft also in irgendeiner Ecke verrichtet werden muss. Sind bei solchen Zuständen Epidemien verwunderlich?

Genau wird man es kaum je zu wissen bekommen, weil die offiziell herrschende Wissenschaft noch heute keinen Zusammenhang zwischen Polio und DDT herstellt, herstellen darf oder will. Auch in Syrien wird dieser Zusammenhang kaum je offiziell ein Thema sein. Auch wenn dem so wäre, müsste man ja plötzlich zugeben, dass DDT durchaus schon immer eine Ursache von Polio war.

Dass die DDT Produktion mit ihrem Anstieg, resp. deren Verbot, mit Erkrankungsfällen in den USA in den Zusammenhang gestellt werden konnte, zeigt die folgende Grafik sehr eindrücklich.

Schreckgespenster - Polio, Tetanus, Diphtherie

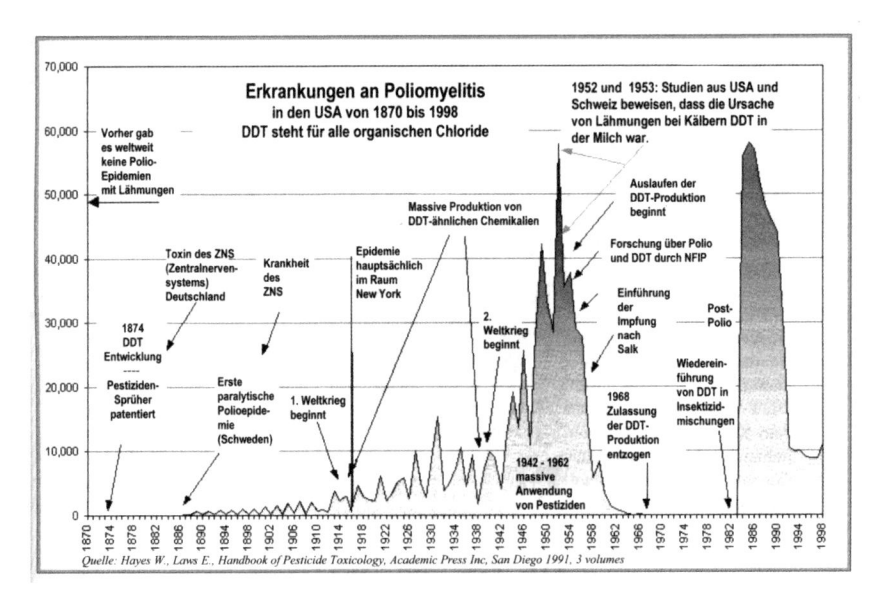

[Grafik: Erkrankungen an Poliomyelitis in den USA von 1870 bis 1998. DDT steht für alle organischen Chloride.

Beschriftungen:
- Vorher gab es weltweit keine Polio-Epidemien mit Lähmungen
- 1874 DDT Entwicklung
- Pestiziden-Sprüher patentiert
- Toxin des ZNS (Zentralnervensystems) Deutschland
- Krankheit des ZNS
- Erste paralytische Polioepidemie (Schweden)
- 1. Weltkrieg beginnt
- Epidemie hauptsächlich im Raum New York
- Massive Produktion von DDT-ähnlichen Chemikalien
- 2. Weltkrieg beginnt
- 1942 - 1962 massive Anwendung von Pestiziden
- 1952 und 1953: Studien aus USA und Schweiz beweisen, dass die Ursache von Lähmungen bei Kälbern DDT in der Milch war.
- Auslaufen der DDT-Produktion beginnt
- Forschung über Polio und DDT durch NFIP
- Einführung der Impfung nach Salk
- 1968 Zulassung der DDT-Produktion entzogen
- Post-Polio
- Wiedereinführung von DDT in Insektizidmischungen

Quelle: Hayes W., Laws E., Handbook of Pesticide Toxicology, Academic Press Inc, San Diego 1991, 3 volumes]

Auch die Gründe für die, in der Grafik erkennbare Anhäufung der so genannten „Post-Polio" ab 1983 sind interessant. Anita Petek schrieb in ihrem Buch „kritische Analyse der Impfproblematik, Band 1" folgendes:

1983 wurde DDT durch eine neue Gesetzgebung in den USA wieder zugelassen, aber nur in Insektizidmischungen. Innerhalb von nur wenigen Monaten nach der Wiedereinführung von DDT kam es wieder zu schweren Poliofällen in den USA. Da fast ausnahmslos alle Erkrankten Geimpfte waren und man der Impfung einen 100prozentigen Schutz nachsagte, nannte man die Krankheit „Post-Poliomyelitis".

Spannend sind auch die ersichtlichen Zusammenhänge der nächsten Grafik, hier von einem Zufall zu sprechen, verlangt mehr als nur eine ungesunde Einseitigkeit.

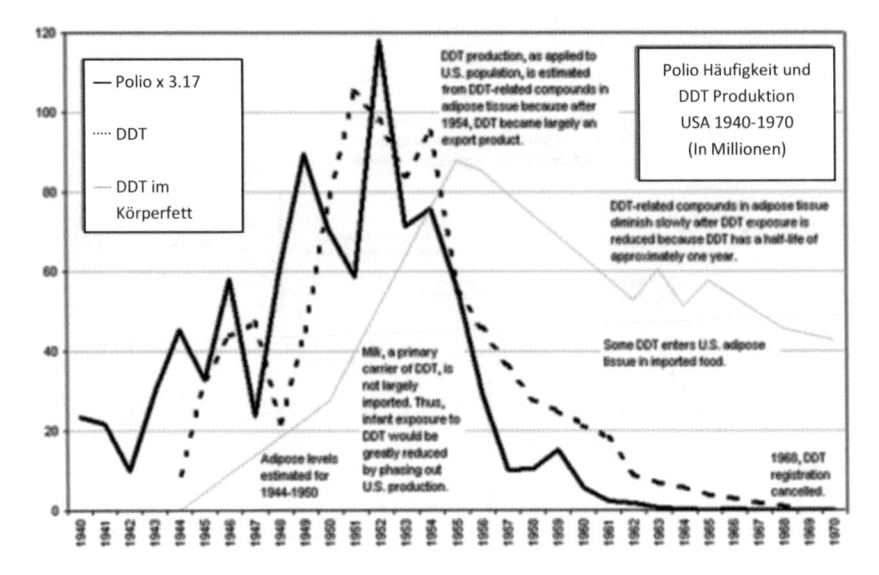

Quelle: Jim West, www.harpub.tk (Originalquellen sind dort erhältlich)

Das ominöse 1962 in Deutschland

Der Siegeszug des flächendeckenden Einsatzes, des Lebendimpfstoffes (OPV) gegen die Polio in Deutschland wird als grosser Erfolg gefeiert, man sprach von einem Durchbruch bei der Poliobekämpfung. Deutlich ist im Jahr 1962 ein starker Rückgang der Erkrankungen auf verschiedenen Statistiken ersichtlich[10]. Hier gilt jedoch auch, einer Statistik nicht blind zu vertrauen, sondern sich zu fragen: „was hat diesen Rückgang ausgelöst?" Tatsächlich kommt man zu einem überraschenden Ergebnis: im Jahre 1962 trat das neue Bundesseuchengesetz in Kraft. Bisher wurden alle Lähmungen als Polio gezählt, welche länger als 48 Stunden (auch Verdachtsfälle

---

[10] Siehe z.B. Impfreport Nr. 98, Seite 8

wurden gemeldet!) angehalten hatten, mit der neuen Falldefinition wurden nur noch Fälle erfasst, bei welchen die Lähmungserscheinungen 60 Tage und länger andauerten. Über 90% aller Lähmungserscheinungen verschwinden innerhalb weniger Wochen wieder, dadurch natürlich auch die Anzahl der Fälle, was den massiven Einbruch in der Statistik erklärt.

Es gibt noch eine weitere Erklärung: die Diagnoseverschiebung. Bei einer Diagnoseverschiebung, welche nicht nur bei Polio üblich ist[11], wird den praktisch identischen Symptomen eine andere Bezeichnung gegeben, in diesem Fall war und ist dies die „aseptische Meningitis". Die nachfolgenden Zahlen aus den USA sprechen eine Sprache für sich, für Deutschland sieht es nicht besser aus. Demnach trifft dieses Phänomen auch für andere Länder zu, welche die gleichen fraglichen Massnahmen ergriffen haben, um einen "Erfolg" verzeichnen zu können[12].

USA

Jahr	Nichtparalytische Polio	Aseptische Meningitis
1951 - 1960	70'083	0
1961 - 1982	589	102'999
1983 - 1992	0	117'366

---

[11] Die Ärzte von heute werden in ihrer Ausbildung dazu angehalten, bei der Diagnose auf den Impfstatus zu achten. Wenn ein an die Impfungen glaubender Arzt nun zwei Kinder mit den gleichen z.B. Masernsymptomen vor sich hat, das eine Kind ist gegen Masern geimpft und das andere Kind nicht, dann wird er dazu neigen, das geimpfte Kind mit einer anderen Diagnose zu versehen, z. B. Röteln, Scharlach, Windpocken oder Neurodermitis. (Quelle: www.impfkritk.de)
[12] Siehe dazu im Rundbrief 1/März 2006 von Libertas&Sanitas e.V.

Los Angeles

Jahr	Nichtparalytische Polio	Aseptische Meningitis
1960	273	53
1961	65	161
1963	31	151
Sept. 66	5	256

Quelle: Los Angeles County, Health Index: Morbidity and Mortality; Reportable Diseases, 1966.

Während sich damit zwar dieser Erfolg einer Massnahme feiern lässt, braucht andererseits über deren ethische und moralische Wertigkeit wohl kaum mehr diskutiert werden...

Schluckimpfung ist süss - Kinderlähmung ist grausam! Wirklich?

Natürlich sind bleibende Schädigungen nach jeder Krankheit tragisch und Niemandem zu gönnen, das liegt auf der Hand. Dem aufmerksamen Leser sollten sich jedoch nun ein paar Fragen stellen! Polio scheint deutlich, wie oben bereits dargelegt, eine Vergiftungserscheinung zu sein. Noch heute verkehren Substanzen[13],

---

[13] http://www.utopia.de/ratgeber/ebensmittel-mit-e-nummer-diese-zusatzstoffe-sind-gefaehrlich-bedenklich-ungesund

bei denen prinzipiell bekannt ist, wie schädlich sie sein können und sicherlich auch sind (wesentlich öfter als zugegeben wird). Weil jedoch die Wirtschaft die Politik mehr oder weniger steuert, werden, um den Umsatz zu sichern, schädliche Stoffe erst dann vom Markt genommen, wenn durch ein Aufschreien in der Öffentlichkeit die Gefahr besteht, das diese, namentlich die Konsumenten, von solchen, meist chemisch-synthetischen Substanzen immer mehr Abstand nimmt. Somit bräche einerseits der Umsatz ein und/oder der „gute" Ruf des Unternehmens würde Schaden erleiden.

Momentan sitzen in den Regierungen und den staatlichen Behörden viel zu viele, von der Wirtschaft abgesandte resp. quersubventionierte Befehlsempfänger[14]. Es gibt um einiges weniger Volksvertreter, als vielmehr zu viele Vertreter wirtschaftlicher Interessen, so wie auch bei allen grösseren Parteien kaum je eine Volkspolitik, sondern meist nur eine Parteipolitik betrieben wird!

Dies wurde nun evtl. etwas überspitzt formuliert, aber es darf nicht vergessen werden, dass Politiker und Behörden vom Volk (z.B. über Steuern) bezahlt werden. Politiker werden zudem auch vom Volk gewählt, deshalb sollte man, vom gesunden Menschenverstand ausgehend, auch annehmen, dass ein Politiker in erster Linie für die Menschen in seinem Land einsteht und alles da-

---

[14] http://www.tagesanzeiger.ch/schweiz/standard/Politik-ist-in-der-Schweiz-kaeuflich/story/22073625

ran setzt, diese zu schützen. Die Realität zeigt leider ein ganz anderes Bild, denn immer mehr wird das Volk entmündigt. Die Politiker heben sich ab und sehen nur, gerade einmal im Wahlkampf, das Volk als wichtig an, danach (oft schon vorher geschehen) lassen sich viele von der Wirtschaft kaufen (Lobbyismus). Nicht verwunderlich ist es daher, dass das Volk immer unzufriedener mit der Politik wird[15], was sich in vielen Ländern zeigt, und deshalb auf die Strasse geht.

Es gibt jedoch noch eine weitere, gewaltlose Möglichkeit: auf Grund des angeeigneten Wissens einfach nicht mehr mitmachen und seine Entscheidung der breiten Öffentlichkeit mitteilen. Nicht zuletzt dafür wurde diese Kleinbuchreihe ins Leben gerufen!

Zurück zum eigentlichen Thema dieses Kapitels.

Es sollte nun deutlich dargestellt worden sein, dass die Krankheit Poliomyelitis nicht durch die Impfung zurückgedrängt, sondern oft nur anders (aseptische Meningitis) benannt wurde. Es sollte nun ebenso klar sein, dass die Auslöser sehr wahrscheinlich nicht Viren, sondern Gifte sind. Was nun als immunsystemreizendes „Etwas" in der Impfung ist, mit welchem man die Antikörperbildung anregen will, bleibt mehrheitlich im Dunkeln. Denn

---

[15] http://www.suedostschweiz.ch/zeitung/mehr-als-jeder-zweite-ist-nicht-zufrieden-0

was ein Virus ist und ob diese auch krankmachend sind, ist umstritten[16].

Dass die Polio schlussendlich ohne Impfung verschwand, ist jedoch unumstritten! Dass die Impfung aber nicht „das Gelbe vom Ei" sein konnte und kann, belegt die Tatsache, dass eine Diagnoseverschiebung („aseptische Meningitis") zu Hilfe genommen werden musste. Sich eines solchen „Tricks" zu bedienen, muss man meist erst dann, wenn man sich einen Fehler (Gefährlichkeit und Unwirksamkeit der Impfung) nicht eingestehen will, sondern eine Ausweichentschuldigung - manche nennen dies auch „billige Ausrede" - zum Erhalt des Umsatzes und des Impfgedankens anwenden muss. Aus diesem Grunde wird heute munter weitergeimpft, in Syrien auch wieder mit der geächteten Schluckimpfung.

Fazit Polio

Polio ist nachweislich eine Vergiftungserscheinung und hat kein Virus als Ursache, sie heilt in den allermeisten Fällen ohne Folgen ab und kann erfolgreich vermieden[17], sowie behandelt[18] werden. Die Impfung kann des-

---

[16] http://derhonigmannsagt.wordpress.com/2011/08/31/die-viren-luge-sachbuch-bringt-bundesregierung-in-erklarungsnot-info/ - und viele weitere Quellen im Internet und Fachbüchern.
[17] Gesunde vollwertige Ernährung, meiden von denaturierten Kohlenhydraten - mehr dazu in Kürze in einem weiteren Buch dieser Reihe, aber auch im Buch „Rund ums Impfen" von Anita Petek und Julia Emmenegger, Verlag Netzwerk Impfentscheid
[18] Der französische Arzt Dr. A. Neveu beschrieb 1943 eine Behandlungsmethode, mit

halb nicht wirken. Gegen Gifte, wie wir in diesem Buch noch sehen werden, kann der Körper keine Immunität erzeugen.

Ärzte bekommen jene Informationen, wie Sie sie eben gelesen haben, normalerweise nicht vermittelt, damit in erster Linie der Impfgedanke geschützt werden kann. Somit ist es ihnen nicht zu verübeln, wenn sie Polio ebenfalls weiterhin als Schreckgespenst ansehen.

Sie, liebe Leserin, lieber Leser, auch noch?

Tetanus

Auch der Tetanus - Wundstarrkrampf – gilt, wie die Polio ebenfalls, als Schreckgespenst. Dementsprechend gross ist auch die Angst der einseitig informierten Bevölkerung. Wenn man sich der unabhängig gesammelten Fakten gewiss wird, kann analog zur Poliomyelitis, auch die Angst vor dem Tetanus überwunden werden!

Bereits Hippokrates beschrieb den Tetanus. Auch sonst sind die medizinischen Geschichtsbücher voll von Tetanusbeschreibungen. Es ist also eine Krankheit, welche schon lange bekannt ist und welcher dementsprechend viel Forschung zuteil wurde. Sicher ist man sich, dass ein Bakterium (Clostridium Tetani) ein Gift aus-

---

der er grossen Erfolg hatte: Magnesiumchlorid. Mehr dazu siehe Fussnote 14 und Buch „Kritische Analyse der Impfproblematik" von Anita Petek sowie im Literaturverzeichnis.

scheidet und dieses die entsprechenden Muskelzuckungen und Krämpfe hervorruft. Man weiss auch, dass sich dieses Bakterium nur unter Luftabschluss, also in geschlossenen und nicht blutenden Wunden vermehren und entsprechend Tetanus auslösen kann. Aus einer Schürfwunde, sowie einer offen, blutenden Wunde, was die meisten Wunden auch sind, hat sich noch nie ein Tetanus entwickelt.

Bereits nach diesen beiden Fakten, Vermehrung des Bakteriums nur in geschlossenen Wunden und dessen Giftausscheidung, die für die Symptome verantwortlich ist, könnte man dieses Kapitel bereits mit den Worten abschliessen: „geschlossene Verletzungen sind äusserst selten" und „gegen Gift kann der Körper keine Immunität erzeugen"! Ein genesener Tetanuspatient kann deshalb wiederholt an Tetanus erkranken, was die Impfung ein weiteres Mal ad absurdum führt. So einfach machen wir es uns jedoch nicht, denn es gibt noch viele weitere, wissenswerte Fakten, die Ihnen die Angst vor Tetanus nehmen können.

Grundsätzlich sind die Impfung gegen Tetanus und die Diphterie Selbstschutzimpfungen, sofern sie überhaupt wirken. Das Argument, dass Nichtgeimpfte die Ausrottung von Krankheiten verhindern, ist somit nicht mehr haltbar: Tetanus ist nicht ansteckend!

Tetanus und Diphtherie sind zudem äusserst seltene Erkrankungen, in Deutschland werden jährlich mehr

Menschen vom Blitz erschlagen, als dass jemand an Tetanus erkrankt[19].

Heute, im Gegensatz zu früheren Zeiten, wird allgemein darauf hingewiesen, dass Wunden gereinigt werden sollten, sonst könnte sich eine Blutvergiftung oder eben Tetanus entwickeln. Die heutigen Massnahmen zur Wundhygiene sind noch nicht sehr lange üblich. Hier wieder ein Auszug aus dem o.e. Buch von Anita Petek:

Die Art der Wundbehandlung der damaligen Zeit führte zu besonders vielen Tetanusfällen. So goss man Öl und Wein, meist kochend, in die Wunden und stopfte schmutzige Streifen, die man mit dem Schwert aus dem sogenannten Übermantel abschnitt, in die Wunde, ehe man einen Notverband darüber anlegte.

Paracelsus erkannte die Gefährlichkeit dieser Methode und wetterte gegen das Ausstopfen mit Fetzen, denn „in die Wunde gehört Artzney und nit solch' Lumpenwerk". Er beschrieb bereits in seiner „grossen Wundartzney" dass die Wundeiterung und der Tetanus kein natürlicher Vorgang sei, sondern durch eine von aussen zugeführte Substanz entstehe.

Immer wieder sorgten „Zufälle" in der Geschichte der Menschheit für Erkenntnisse, welche die Welt veränderten, so auch in der Medizin! Im 16. Jahrhundert war es Ambroise Paré, der „zufällig" für ziemliches Aufsehen sorgte. Bei einer Schlacht in Italien ging ihm das Öl aus,

---

[19] Das liegt aber nicht an der Durchimpfrate, denn die ist bei Erwachsenen unter 50%.

so dass er einen Teil der Verwundeten nicht auf diese Weise behandeln konnte. Zu seinem grössten Erstaunen stellte er am nächsten Tag fest, dass es den „unversorgten" Verletzten viel besser ging als den „kunstgerecht" Behandelten.

Paré schrieb daraufhin ein Buch in französischer Sprache, nicht in Latein, wie es sonst üblich war. Dieses Buch konnte auch vom gemeinen Volk gelesen und verstanden werden. Natürlich wurde er damals von der Pariser medizinischen Fakultät aufs Schärfste angegriffen, weil er sich erlaubte, die herrschende Lehrmeinung öffentlich als „falsch" anzuprangern. Kommt Ihnen das irgendwie bekannt vor? Genau dieselben Muster laufen auch heute ab, wenn sich Jemand (impfkritisch) getraut, gegen die herrschende Lehrmeinung (impfbefürwortend) Stellung zu beziehen. Der Rückblick in die Vergangenheit lehrt uns eindeutig, dass vor allem die Wissenschaft eine Geschichte der Fehler war und ist. Die Erkenntnis von heute ist oft der Irrtum von morgen. Auch die heutigen Impfungen? Es ist stark zu vermuten!

Die Geschichte der Tetanusirrtümer geht noch weiter. Friedrich II. (1712-1786) führte zwar einen Krieg nach dem Anderen, aber in seinen Regimentern gab es nur ungenügend Lazarette. Im Jahre 1760, nach der Schlacht von Torgau, lagen 9742 Verwundete in einer kalten Novembernacht, bis auf das Hemd ausgeplündert, auf dem Schlachtfeld. Unterkühlt, mangelernährt und durch den

Blutverlust geschwächt, starben viele von ihnen. Bereits damals machten die Grenadiere die Chirurgen darauf aufmerksam, dass Wunden, die mit Pferdemist verunreinigt waren, höchst gefährlich seien. In Ärztekreisen hielt man dies jedoch für einen Aberglauben des gemeinen Volkes. Parallelen zur heutigen Zeit leider auch hier: wer keinen akademischen Titel hat, kann auch nicht ernst genommen werden.

Liegen wir auch mit der Erregertheorie einem Irrtum auf? Ist alles gar nicht so, wie es immer behauptet wird? Seit mehr als 150 Jahren streiten sich Gelehrte, ob der Erreger nun die Ursache ist für die Erkrankung, oder eben nicht. Louis Pasteur - zusammen mit Robert Koch -, quasi einer der Urväter der Erregertheorie, jedoch nachweislicher Fälscher seiner eigenen Ergebnisse, hinterfragte am Ende seines Lebens seine eigene Theorie. Sehr viel baut heute auf den Ausarbeitungen Pasteurs und denen von Koch auf, obwohl Pasteur klar nachgewiesen werden konnte, dass er viele seiner Ergebnisse „schönte"[20]. Entgegen dem Wissen darum wird in der Medizin nichts verändert. Die Erregertheorie, ein klares „Feindbild", welches man damit erhalten hat, ist umsatzträchtiger als die vor Pasteur und Koch bestehende Lehrmeinung. Noch heute gibt es eine wissenschaftliche Richtung, die das "alte" Wissen pflegt: der Pleomorphismus[21].

---

[20] The Private Science of Louis Pasteur, Gerald L. Geison
[21] http://www.pleomorphismus.de/

Sicher ist allerdings, dass jeder Erreger ein entsprechendes Milieu, einen Nährboden braucht, so auch das Tetanus erzeugende Bakterium.

Erkrankungsrisiko

Die Frage, ob das Tetanus-Erkrankungsrisiko gross sei, wurde im Prinzip bereits beantwortet. Die Gefahr ist sehr gering und hat nichts mit dem Impfen zu tun.

Fazit daraus ist, dass eine Infektion mit den Sporen des Tetanusbakteriums selten zur Erkrankung führt. Die meisten Wunden bluten, sind also offen, was eine Tetanusentwicklung verunmöglicht!

Eine natürlich durchgemachte Tetanuserkrankung erzeugt keine Immunität. Trotzdem gibt es erstaunlicherweise eine Art „natürliche" Immunität. Man fand, in weltweit angelegten Untersuchungen bei Ungeimpften, Antikörper gegen Tetanus in ausreichender Höhe, so dass diese Antikörper, nach Meinung der Schulmedizin ausreichend sind, um vor einem Tetanus zu schützen. Was nun genau gefunden wurde, ist nicht ganz nachzuvollziehen, denn Antikörper[22] sind nur eine Ersatzmessgrösse und kein Beweis für Immunität. Antikörper sind Eiweissgebilde, wie sie milliardenfach in den verschiedensten Zusammensetzungen im menschlichen Orga-

---

[22] http://flexikon.doccheck.com/de/Antik%C3%B6rper

nismus vorkommen. Findet man jedoch auch bei Ungeimpften solche Tetanusantikörper, so kann geschlussfolgert werden, dass die Menschen, welche eine Art Immunität vor dem Tetanus brauchen, diese allenfalls auf natürlichem Wege erhalten.

Sowohl in Deutschland als auch in Österreich hat es seit Jahren keine Tetanusfälle bei einheimischen Kindern mehr gegeben. Wenn es Erkrankungen gäbe, wären das Fälle bei Flüchtlingskindern, die nach ihrer Ankunft bei uns erkrankten. Infolge Hunger, Blutarmut, Erschöpfung, mangelnder Hygiene und schlechter medizinischer Behandlung kann bei diesen Kindern, durch eine Verletzung, viel leichter Tetanus entstehen.

Quasi Impfzwang in der Notaufnahme

Da, wie bereits geschildert, auch Ärzte Tetanus als Schreckgespenst zu erkennen glauben und vermutlich auch eine gewisse Angst davor haben, wird nicht selten jenseits von Gesetz, Ethik und Moral in einer Notaufnahme (meist blutende Wunde) reagiert. Zur Veranschaulichung hier ein Beispiel aus dem Jahre 2012, welches sich in einem Spital am oberen Zürichsee ereignet hat.

Nachdem das zweijährige Mädchen sich abends eine blutende Kopfwunde zugezogen hatte, gingen die Eltern verständlicherweise direkt in die Notaufnahme des Spitals. Den

Eltern wurde eine Gaze in die Hand gedrückt, um damit die Wunde am Kopf des Kindes abzudecken und das Blut etwas zu stillen. Kurz darauf wurde nach dem Impfstatus des Kindes gefragt. Weil die Eltern gut über Impfungen informiert sind, teilten sie ehrlicherweise mit, dass das Kind nicht geimpft sei. Daraufhin begann eine zweistündige Moralpredigt mit Angstmacherei und Vorwürfen gegenüber den Eltern, wie verantwortungslos sie wären usw., bis die Eltern einbrachen und der Tetanusimpfung zustimmten. Im Nachhinein stellt sich heraus, dass zumindest Diphtherie ebenfalls mitgeimpft wurde.

Dieser Fall zeigt deutlich auf, dass die Arroganz und Überheblichkeit seitens der Ärzte gegenüber dem „normalen Fussvolk" mitunter Züge annehmen, die weder ethisch, moralisch noch rechtlich haltbar sind. Die Spitalärzte verstiessen gegen Gesetze und die eigenen FMH-Standesregeln[23] und hätten eine Strafanzeige wegen Nötigung, Körperverletzung und anderen Delikten mehr als verdient. Leider zogen es die Eltern jedoch vor, nichts zu unternehmen, was irgendwie verständlich, aber natürlich tragisch ist, denn so lässt sich das Problem nicht lösen.

Grundsätzlich haben Ärzte kein Recht, in dieser Weise mit den Patienten umzugehen, sie müssen die Meinung des Patienten respektieren. Ärzte dürfen zwar ihre Sicht der Dinge darlegen, jedoch keinen Druck/Zwang ausüben oder Angstmacherei betreiben. Sie dürfen die Be-

---

[23] https://www.fmh.ch/files/pdf12/Standesordnung_20130818dt.pdf - FMH = Schweizer Ärztevereinigung

handlung ablehnen, jedoch nur dann, wenn es sich nicht um einen Notfall handelt. Ausserdem muss vor der Behandlung - rechtlich gefordert und verbindlich -, eine Aufklärung über Risiken, Nebenwirkungen, Alternativen und Anderem durchgeführt werden. Dies gilt nicht nur für alle medizinischen Eingriffe, sondern auch für alle Impfungen, wird jedoch höchst selten gemacht[24].

Wir empfehlen Ihnen deshalb, auf Nachfragen nur die halbe Wahrheit zu sagen, oder im Extremfall gar zu lügen, will man nicht in die Mühlen der Manipulation, der Nötigung usw. geraten. Nur die halbe Wahrheit zu sagen, bedeutet in diesem Fall, dass mit den Impfungen alles in Ordnung und man auf dem neusten Stand sei. Lügen würde bedeuten zu sagen, dass man nach Empfehlung geimpft wäre. Die Verantwortung für Ihre Gesundheit tragen Sie in jedem Fall immer selbst. Eine solche Notlüge kann also durchaus angebracht sein, um seine Freiheit und das Recht auf Selbstbestimmung zu wahren, sowie nicht unnötig eine Verzögerung, auf Grund sich gegenüberstehender Ansichten zu riskieren.

Die Tetanusimpfung

In der heutigen Tetanusimpfung sind so genannte „entgiftete Absonderungen" der Tetanus-Bazillen, ge-

---

[24] Die Rechtsverbindlichkeit der Ärzte vor, während und nach den Impfungen ist im Prinzip klar geregelt. Trotzdem hält sich der absolut grösste Teil der Ärzte nicht an die gesetzlichen Vorgaben. Aber wo kein Kläger, kein Richter. Ein Buch in dieser Reihe wird noch erscheinen, welches die rechtlichen Grundlagen klar regelt.

bunden an Aluminiumsalze, sowie auch andere, teilweise hochgiftige und neurotoxische Inhaltsstoffe[25]. Gegen Gifte gibt es keine Immunität, also kann auch eine Impfung mit entgiftetem Gift diese nicht hervorzaubern. Es ist aus diesem Grund auch nicht verwunderlich, wenn noch nie eine Schutzwirkung nachgewiesen wurde. Die Antikörper sind, wie oben bereits erwähnt, nur eine Ersatzmessgrösse und kein Beweis für Immunität.

Auch die so genannte Passivimpfung, welche bei Tetanusverdacht injiziert wird, hat ihre Tücken. Es ist bekannt, dass diese Impfung einen anaphylaktischen Schock[26] auslösen kann, der nicht selten zum Tode führt.

Obwohl weitläufig geimpft wird, haben 25 - 50% der Erwachsenen keinen „Schutz", also keinen genügenden Antikörpertiter im Blut, trotzdem gibt es jährlich nur sehr wenige Erkrankungen in unseren Breitengraden, Todesfälle sind sehr selten. Todesfälle bei Kindern unter 15 Jahren gibt es seit über 30 Jahren in Deutschland keine mehr. Tetanus ist eine Erkrankung, die eher im höheren Lebensalter eintreten kann, wie die nachfolgende Grafik deutlich aufzeigt:

---

[25] Siehe Buch von Anita Petek „kritische Analyser der Impfproblematik" Band 2
[26] Die Anaphylaxie ist eine akute, pathologische (krankhafte) Reaktion des Immunsystems von Menschen und Tieren auf chemische Reize und betrifft den gesamten Organismus. Das Bild anaphylaktischer Reaktionen reicht von leichten Hautreaktionen über Störungen von Organfunktionen, Kreislaufschock mit Organversagen bis zum tödlichen Kreislaufversagen, dem anaphylaktischen Schock.

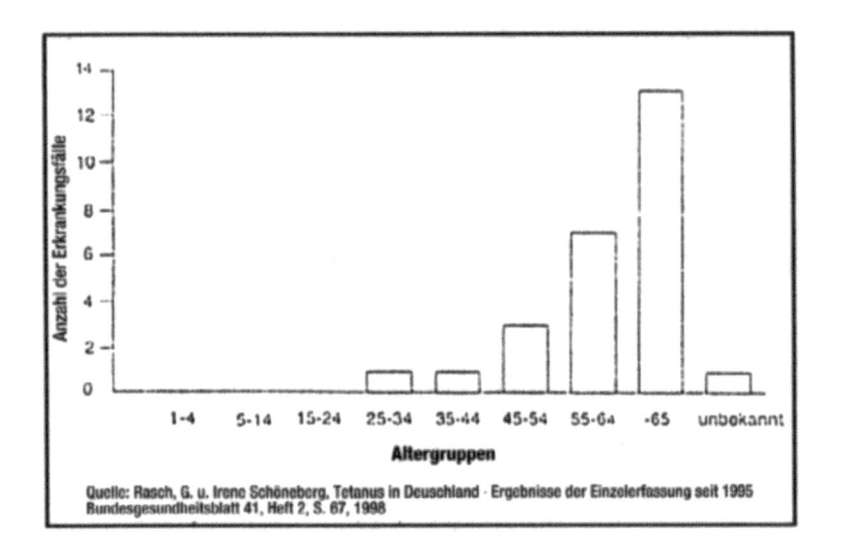

Quelle: Rasch, G. u. Irene Schöneberg, Tetanus in Deuschland - Ergebnisse der Einzelerfassung seit 1995 Bundesgesundheitsblatt 41, Heft 2, S. 67, 1998

Wie alle anderen Impfungen ist auch die Tetanusimpfung nicht ohne Nebenwirkungen. Weil auch die Rückmeldung, der Beobachtung unerwünschter Wirkungen nach einer Impfung, durch die Ärzte sehr lückenhaft ist (man spricht im besten Fall von ca. 10% Rückmeldung der tatsächlichen Ereignisse), kann nicht genau gesagt werden, wie hoch die Gefahr einer Nebenwirkung ist. Die Beipackzettel der Tetanusimpfungen, welche Ihnen jeder Arzt **VOR** dem Impfen zeigen muss, sprechen jedoch eine deutliche Sprache. Bitte besorgen Sie sich diese Beipackzettel vor dem Impfen im Internet[27].

---

[27] Für die sicher in der Schweiz lieferbaren Impfungen erhalten Sie die Informationen unter http://www.kompendium.ch. Für Deutschland ist die Seite www.impfkritik.de sehr zu empfehlen. Meist gleichen sich die zugelassenen Impfstoffe jedoch in allen Ländern, so dass Sie hier leicht fündig werden. Ansonsten fragen Sie Ihren Arzt oder Apotheker…

Fazit Tetanus

Das was die Natur nicht kann, wird der Mensch auch niemals können. Wenn eine natürlich durchgemachte Tetanus Erkrankung keine Immunität hinterlässt, kann der Mensch den Organismus auch nicht dazu zwingen, dies trotzdem zu tun. Tetanus ist eine Erkrankung, die ihren Schrecken hauptsächlich durch die Erfindung der Tetanusimpfung erhalten hat, aber auch falsche Wundbehandlung, ein geschwächtes Immunsystem, mangelhafte Ernährung in Verbindung mit schlechter/fehlender Hygiene können Tetanus auslösen. Diese Faktoren stellen jedoch in unseren Breitengraden normalerweise kein Problem mehr dar. Die Entwicklungshilfe in der sogenannten „Dritten Welt" würde wesentlich hilfreicher sein, wenn sie diese eben erwähnten Faktoren nachhaltig verbessern würde, somit wäre den Menschen dort besser geholfen, anstatt ihr Immunsystem noch zusätzlich mit giftigen und neurotoxischen Substanzen aus Impfungen zu schwächen. Nachhaltigkeit im Bereich der Gesundheit hiesse allerdings, dass die Menschen gesünder werden und bleiben würden, dies wiederum hätte den, in gewissen Kreisen unbeliebten Nebeneffekt, dass weniger verdient werden könnte.

Diphtherie

Die Diphtherie und der Tetanus sind eng miteinander verwandt, dies nicht nur, weil beide als Schreckgespenster gelten, sondern weil beide Erkrankungen durch die giftige Ausscheidung eines Bakteriums ausgelöst werden können. Auch eine durchgemachte Diphtherieerkrankung hinterlässt keine Immunität. Während sich Tetanus unter Luftabschluss entwickelt, entsteht die Diphtherie im Nasen-Rachenraum bis zum Kehlkopf. Die Vergiftungserscheinung durch die bakteriellen Ausscheidungen zeigt sich nicht durch Symptome im Nervensystem, sondern durch bellenden Husten, Fieber, Hals- und Schluckbeschwerden. Die Diphtherie kann im Extremfall bis zum Ersticken führen (echter Krupp), dies war früher noch öfter der Fall. Dass die Diphtherie heute praktisch ausgestorben ist, hat mit den Impfungen jedoch nichts zu tun, wie die nachfolgende Grafik zeigt:

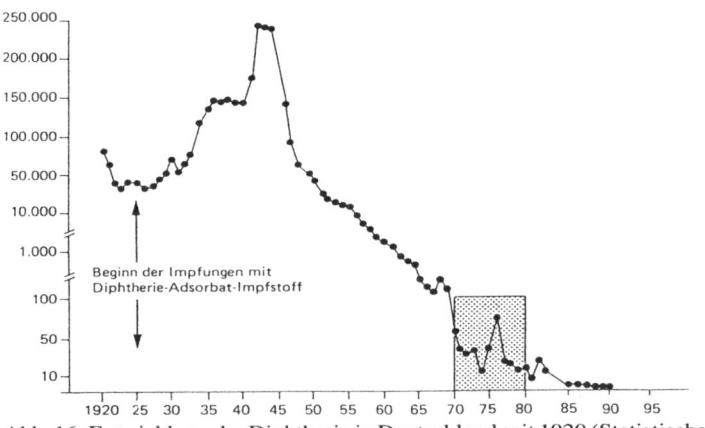

Abb. 16: Entwicklung der Diphtherie in Deutschland seit 1920 (Statistisches Bundesamt, Wiesbaden)

Diphtherie ist ebenfalls eine altbekannte Erkrankung. Eine Aussage aus dem Jahre 1871 durch Max Joseph Oertel, der als einer der Pioniere der Diphtherieforschung galt, sollte uns hellhörig machen:

Beim Menschen ist es eine wiederholt konstatierte Tatsache, dass es Individuen gibt, welche unter den günstigsten Verhältnissen mit diphtherischen Erkrankten zusammenleben, mit ihnen in die innigste Berührung kommen, und von der Krankheit verschont bleiben, während andere eine ausserordentliche Empfänglichkeit für die Krankheit zeigen, und bei der äussersten Vorsicht, wenn sie mit solchen Kranken zusammenkamen, wiederholt infiziert wurden.

In diesem Abschnitt ist schon fast alles gesagt, dies bereits 1871. Widerlegt wurde nach unserem Wissen diese Aussage nie. Oertel sagte klar aus, dass die Diphtherie mehrfach auftreten kann - also keine Immunität hinterlässt - und gewisse Menschen eher dazu neigen, krank zu werden. Interessant wäre es sicherlich, den Gesundheitszustand der zweiten Gruppe vor der Erkrankung zu kennen, denn die Diphtherie gehört zu den Elendskrankheiten, die in Situationen auftritt, in denen der Mensch z.B. durch Krieg und dessen Folgen geschwächt ist. Mangelnde Hygiene, schlechtes Wasser und Mangelernährung, Psychoterror usw. gelten als die wichtigsten Faktoren, die die Diphtherie begünstigen.

Sicher ist Ihnen auf der vorangegangenen Grafik aufgefallen, dass die Kurve in den Jahren 1942-1945 trotz Impfung einen Höhepunkt erreicht. Da diese Grafik mittels Zahlen aus Deutschland erstellt wurde, ist es nicht schwer zu erahnen, welche Zustände in diesen Jahren dort geherrscht haben müssen.

Ab 1945 fallen die Todesfallzahlen rapide ab. Dies hat jedoch nichts mit der Impfwirkung zu tun, sondern mit der Tatsache, dass Hitler weg war, der Krieg ein Ende gefunden hatte und die Deutschen wieder einer sicherlich besseren Zukunft entgegen sehen konnten. Das deutsche Wirtschaftswunder der Nachkriegszeit zeigt ja deutlich die „Stehaufmännchen-Mentalität", die die Deutschen in diesen ersten Nachkriegsjahren an den Tag legten. Es wurde übrigens in diesen ersten Jahren nicht oder nur vereinzelt[28] gegen Diphtherie geimpft. Die nebenstehende Grafik, mit Zahlen aus Berlin, zeigt dies deutlich auf.

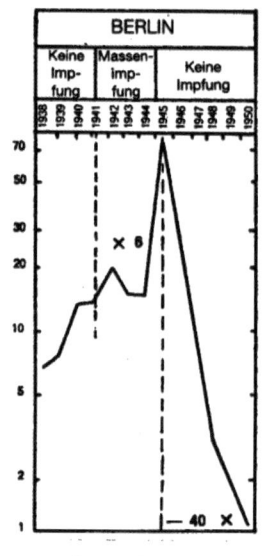

---

[28] Die Impfpflicht wurde 1947 stark gelockert und 1953 auch bei Kindern abgeschafft. Dass unmittelbar nach dem Krieg sicherlich anderes wichtiger war als zu impfen und auch die Finanzen nicht rosig waren, liegt auf der Hand.

Auch Zahlen aus anderen Ländern, nachstehend aus Japan und Kanada, verdeutlichen, dass die Impfung nicht der Grund für den Rückgang der Diphtherie in diesen Ländern sein kann, er hätte auch ohne Impfungen stattgefunden.

Oertl war es, ebenso wie seinen Nachahmern, übrigens nicht gelungen, Diphtherie durch direkten Kontakt mit Körpersäften zu übertragen, damit ist hier die Frage nach dem Ansteckungsweg ein weiteres Mal zu stellen. Auch die Diphtherieimpfung ist eine reine Selbstschutzimpfung, einmal mehr besteht also keine Gefahr für Geimpfte[29] oder nicht Impfbare, sich an Ungeimpften anzustecken (Thema „Ausrotten der Krankheitserreger"). Auch bei der Diphtherie basiert die Übertragungshypothese nur auf Vermutungen. Es wurde bereits geschrieben, dass viele Menschen das Bakterium bereits in sich tragen, der Pleomorphismus geht ebenso davon aus. Es konnte in einigen Versuchen bereits bewiesen werden, dass ein Bakterium seine Art und Fähigkeit verändern kann, je nach Bedarf des Organismus. So wie in einem menschlichen Organismus Milliarden von

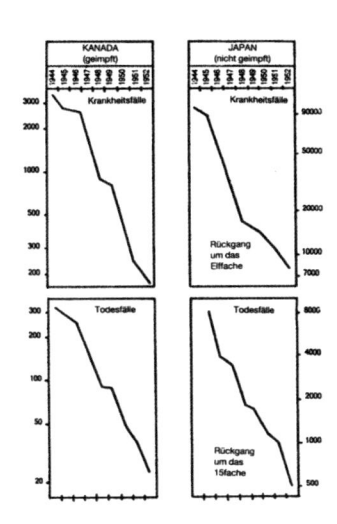

---

[29] Immer noch haben Geimpfte Angst, dass sie von Ungeimpften angesteckt werden könnten. Hier stellt sich, ausgelöst durch den gesunden Menschenverstand halt einfach die Frage, ob denn Geimpfte nicht an die Schutzwirkung der Impfungen glauben, wenn sie solche Ängste mit sich herumtragen. Die Ansteckungstheorie ist nach wie vor eine Theorie.

Bakterien vorhanden sind, ohne die wir gar nicht lebensfähig wären, können einzelne sich verändern, wenn es die Umstände denn zulassen. Welche Umstände dies sein können, wurde schon mehrfach erwähnt.

Schutzwirkung durch Diphtherieimpfung mehr als fraglich

Die Diphtherieimpfung ist wie die Tetanusimpfung eine Toxoidimpfung, welche „entgiftetes Gift", also unwirksam gemachtes Gift enthält. Es stellt sich jedoch einmal mehr die Frage, wie denn die Diphtherieimpfung eine Immunität erzeugen soll, wenn der menschliche Organismus gar nicht in der Lage ist, gegen Gifte eine Immunität zu erzeugen[30]!

Die Schulmedizin geht davon aus, dass eine Krankheit bei einer Durchimpfungsrate von 80 - 90% nicht mehr, oder nur noch sehr selten ausbricht und dass bei einer Durchimpfungsrate von 95% der Erreger eliminiert werden kann. Beides ist nach heutigen Erkenntnissen widerlegt, denn einerseits ist ein nicht unwesentlicher Anteil aller Menschen Träger des Diphtheriebakteriums. Die WHO stellt in ihrem Diphtheriebericht von 2009 fest, dass die Zahl der gesunden Keimträger grösser ist, als die der Erkrankten.

---

[30] Lewin L. Gifte und Vergiftungen, Haug Verlag 6. Auflage 1992

Andererseits weiss man, dass das Bakterium alleine zu wenig stark ist, um die Krankheit auszulösen, es braucht weitere Faktoren, einige davon wurden oben schon genannt. Ein weiterer Faktor ist, dass das Diphtheriebakterium sich nur auf geschädigtem Gewebe krankmachend vermehren kann.

Einmal mehr muss an dieser Stelle darauf hingewiesen werden, dass eine gesunde Lebensweise, welche, um nur die wichtigsten zu nennen, naturbelassene Vollwerternährung, sauberes Wasser, gute Hygiene, Bewegung an der frischen Luft, Gedankenhygiene und positive Emotionen beinhaltet, unabdingbar sind für ein glückliches und zufriedenes Leben und vor allem für eine gute körperliche Verfassung. Leider sind die heutigen Verlockungen der Industrie so massiv, dass viele Menschen diesen erliegen und sich unausgewogen, einseitig, oder gar schädigend ernähren. Wenn sogar McDonald's seine Mitarbeiter vor den eigenen Produkten warnt[31], dann geschieht dies vermutlich nicht aus Nächstenliebe, sondern weil kranke Mitarbeiter die Kassen der Betriebe belasten!

Zurück zur Impfung. Es gibt Länder, in denen die Diphtherieimpfung Pflicht ist, zum Beispiel in Italien. Eine Grafik verdeutlicht, dass die Erkrankungen bereits vor der Impfpflicht stark zurück gingen:

---

[31] http://www.20min.ch/finance/news/story/McDonald-s-warnt-Mitarbeiter-vor-Big-Macs-31404179

Abb. 23

Diphtherie-Erkrankungen in Italien 1962 – 1987

(Diphteriefälle pro 100.000 Einwohner)

Pflichtimpfung (1963)

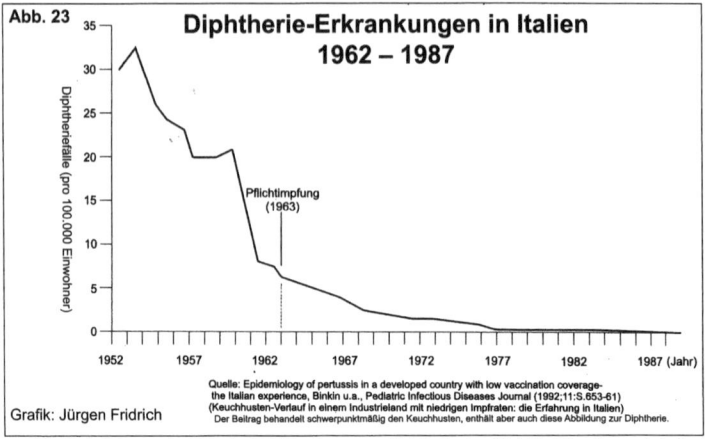

Quelle: Epidemiology of pertussis in a developed country with low vaccination coverage – the Italian experience, Binkin u.a., Pediatric Infectious Diseases Journal (1992;11:S.653-61) (Keuchhusten-Verlauf in einem Industrieland mit niedrigen Impfraten: die Erfahrung in Italien) Der Beitrag behandelt schwerpunktmäßig den Keuchhusten, enthält aber auch diese Abbildung zur Diphtherie.

Grafik: Jürgen Fridrich

zu Abb. 23: In Italien wurde 1963 eine Pflichtimpfung gegen Diphtherie eingeführt. Die Erkrankungsrate befand sich jedoch bereits vorher im freien Fall. Es hat sogar den Anschein, als würde sich der Rückgang mit der Impfung eher verflachen. Ein Nutzen der Impfeinführung ist aus dieser Statistik nicht zu entnehmen.

Auch aus Österreich, veranschaulicht in der nächsten Grafik (Todesfälle), gibt es ähnliches zu vermelden:

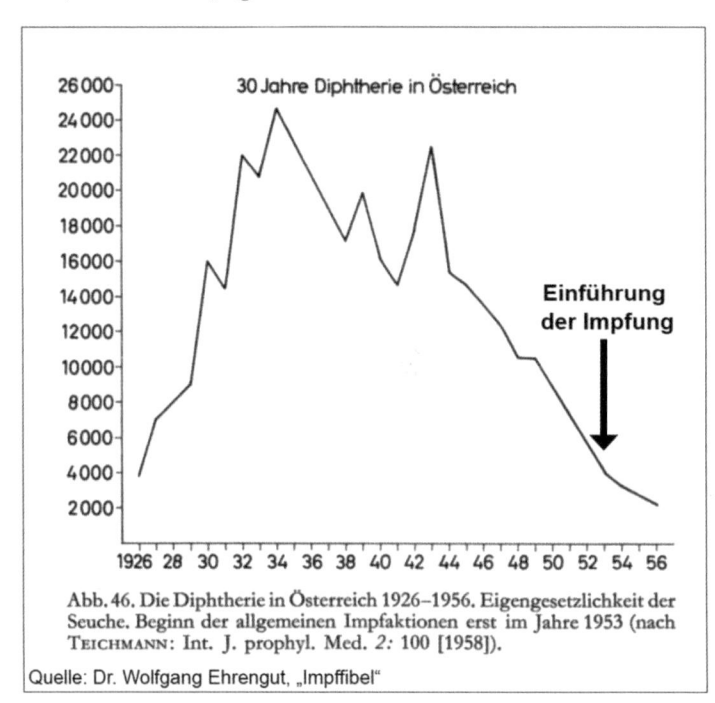

30 Jahre Diphtherie in Österreich

Einführung der Impfung

Abb. 46. Die Diphtherie in Österreich 1926–1956. Eigengesetzlichkeit der Seuche. Beginn der allgemeinen Impfaktionen erst im Jahre 1953 (nach TEICHMANN: Int. J. prophyl. Med. 2: 100 [1958]).

Quelle: Dr. Wolfgang Ehrengut, „Impffibel"

Solche Grafiken liessen sich noch für viele weitere Länder darstellen, jedoch sind die Unterschiede der einzelnen Länder marginal, so dass hier auf weitere Quellen im Literaturverzeichnis verwiesen werden soll.

Das Wissen des Arztes - exemplarisches Beispiel

Ärzte werden ehrfürchtig auch „Götter in Weiss" genannt, heute ist dieser Ausdruck oft mehr zynisch gemeint. Es soll nun kein Angriff auf den Arzt als Menschen stattfinden, sondern es geht darum, das Wissen eines Arztes zum Thema Diphtherieimpfung darzustellen! Dieses Wissen kann auf andere Impfungen mehr oder weniger 1:1 übertragen werden. Das normale Wissen eines Arztes zur Diphtherieimpfung basiert auf einer „Schnellbleiche" im Grundstudium von 1-2 Lektionen, mittels einiger Zahlen, Grafiken und Studien. Diese werden allesamt nicht hinterfragt, da dafür weder die Zeit vorhanden ist, noch das Interesse der jungen Studenten besteht. Später im Spitalpraktikum, oder in der eigenen Praxis werden weiterhin keine kritischen Fragen gestellt[32]. Die Informationen stammen alle von der Pharmaindustrie, also den Impfstoffherstellern, welche ebenfalls passend zu den eigenen Produkten, die Weiterbildung

---

[32] Ein befreundeter Arzt teilte mir mit, dass Studenten, welche kritisch zu dem im Studium von den medizinischen Koryphäen (Professoren) Vermittelten sind, oft massive Schwierigkeiten bekommen und oft gar das Studium abbrechen müssen. Kritik ist also nicht angesagt, wenn man das Studium erfolgreich beenden will. Weitere analoge Beispiele sind sicherlich vorhanden.

der Ärzte in den Händen halten, also organisieren. Sie bestimmen den Inhalt dieser Weiterbildungen und führen sie meist auch gleich noch, für die Ärzte kostenlos durch. So kommt der normale Arzt gar nicht an kritische Informationen. Sollte dies trotzdem einmal geschehen, hat er gelernt, „solchen Humbug" gleich als „unwissenschaftlich" abzutun. Somit ist die heutige Einstellung und Haltung der Ärzte gegenüber den Impfungen und der Impfkritik nicht verwunderlich.

Der folgende Auszug, aus den Seminarunterlagen für Studenten des Berliner Universitätsklinikums „Charité", zeigt deutlich die Art der Argumentation der Impfbefürworter auf.

Historischer Vergleich jährlicher Infektionsfälle in den USA vor und nach der Einführung von Impfprogrammen (Quelle: *The Scientist*)		
Impfstoff	vorher (Jahr)	nachher (Jahr)
Diphtherie	175.885 (1922)	1 (1998)

Fazit Diphtherie

Sicher verstehen Sie nun, dass es auch hier eindeutig angezeigt ist, den Sinn der Diphtherieimpfungen zu hinterfragen, so braucht es eine kritische(re) Einstellung der Menschen, um weiteres Leid abzuwenden! Auch die Diphtherieimpfung ist, analog zur Tetanusimpfung, nicht ohne Nebenwirkungen, ausserdem werden heute praktisch nur noch Kombiimpfungen (DTP - Diphtherie, Tetanus und Keuchhusten) verabreicht.

Impfungen werden auch heute noch unter Verwendung von verschiedenen Inhaltsstoffen hergestellt[33]. Bei vielen, wie zum Beispiel den Aluminiumsalzen[34], ist es nicht hinreichend bekannt, welche Gefahren diese mit sich bringen können. Immer wieder kommen neue Verdachtsmeldungen zum Vorschein, ist jedoch eine Impfung erst einmal eingeführt, braucht es sehr viel, bis diese wieder vom Markt genommen werden muss, auch dann, wenn die Beobachtungen in alternativen Praxen und von Eltern, nach der Injektion der Impfung mehr als nur alarmierend sind. Der Geschädigte muss den Beweis antreten, dass die Impfung die Schäden verursacht hat. Schäden, die oft nicht mehr geheilt werden können! Ein aktueller Fall (Januar 2014) ist die Impfung „Gardasil", welche gegen Gebärmutterhalskrebs wirken soll[35], die bereits mehrere Todesfälle junger Frauen überschattet. Von den Behörden in verschiedenen Ländern wurde bis zum Verfassen dieser Zeilen nicht, oder nur ausweichend, bzw. beschwichtigend reagiert!

---

[33] Siehe Buch "Kritische Analyse der Impfproblematik", Band 2, Anita Petek

[34] Siehe Buch "Die Akte Aluminium", von Bert Ehgartner

[35] Das Netzwerk Impfentscheid hat eine Facebook-Seite erstellt, auf welcher laufend über neue Erkenntnisse zur HPV-Impfung berichtet wird: "HPV Impfung - Nein Danke". Sie finden die Infos jedoch auch auf den eingängigen Websites im Internet.

Fazit Schreckgespenster

In diesem Buch wurden in erster Linie die drei „Schreckgespenster" Kinderlähmung/Poliomyelitis, Wundstarrkrampf/Tetanus und die Diphtherie behandelt, denn diese drei Erkrankungen gelten nach wie vor als die vermeintlich Gefährlichsten. Dieses Buch hat Ihnen hoffentlich aufgezeigt, wie wichtig es ist, sich über die Hintergründe dieser drei Erkrankungen, sowie der Impfungen, die damit in Zusammenhang stehen, zu informieren, denn diese Krankheiten sind heute eindeutig kaum mehr Problem! Selbst wenn die Durchimpfrate signifikant sinken sollte, wie es bei Erwachsenen bereits seit Jahren der Fall ist, würden diese Krankheiten bei uns auch weiterhin keine Rolle mehr spielen. Die Gefahr eines erneuten Ausbruches, bei noch stärker sinkender Durchimpfrate, wie sie von den Gesundheitsämtern befürchtet wird, gehört in die Kategorie „Aberglaube mit Angstmacherei, gespickt mit wirtschaftlichen Interessen"!

Die grosse Furcht vor diesen drei Krankheiten hat eindeutig ihre Berechtigung in unseren Breitengraden verloren, wenn sie diese denn überhaupt jemals hatte. Sicher gab es in früheren Zeiten Menschen, die an Polio erkrankten, jedoch waren das immer schon Einzelfälle. Wie Sie auf den vorangegangenen Seiten bereits lesen konnten, haben nur die wenigsten, an Lähmungserscheinungen Erkrankten, unter Folgen zu leiden! Hätte man die alternativen Behandlungsformen (wie z.B. das Magnesiumchlorid[36]) zugelassen, gäbe es vermutlich viel weniger bleibende Schäden durch Polio oder Tetanus.

So lange unsere bestehenden Lebensbedingungen erhalten bleiben - genügend zu Essen und zu Trinken, gute Hygiene und ein funktionierendes soziales Netz - werden diese Krankheiten definitiv nicht mehr auftreten. Es liegt in unserem Interesse, deshalb diesen Lebensstandard auch so gut wie möglich zu erhalten!

Impfprogramme sind aus kritischer Sicht Geldverschwendung und dienen lediglich dem Ziel, den Umsatz der Pharmazeutischen Industrie zu steigern. Die steuerfinanzierten 6 Millionen Schweizer Franken, die im Jahr 2013 durch das Schweizer BAG („Bundesamt für Gesundheit") in ein fragliches „Masern- Eliminierungsprogramm" gesteckt wurden[37], hätten an anderer Stelle sicherlich besser eingesetzt werden können, denn die westliche Gesellschaft hat andere, massive gesundheitliche Probleme. Die chronischen Erkrankungen gewinnen zunehmend an Bedeutung[38]!

Worauf diese und andere Wohlstandserkrankungen zurückzuführen sind, darüber rätseln die Gesundheitsämter nach wie vor. Man nimmt an, es sei die Ernährung und empfiehlt, weniger Fett und denaturierte Kohlen-

---

[36] http://impfentscheid.ch/infos/impfungen/polio-kinderlahmung/
[37] www.stopmasern.ch/
[38] http://www.dw.de/wohlstandskrankheiten-nehmen-dramatisch-zu/a-6139375

hydrate[39] zu sich zu nehmen und sich mehr zu bewegen. Verschwiegen wird, dass die chemische Industrie bereits mehrere tausende Zusatzstoffe[40] entwickelt hat, die heute in den verschiedenen Fertigprodukten enthalten sind. Ebenso wie die Inhalts- und Begleitstoffe von Impfpräparaten sind Lebensmittelzusätze seltenst herstellerunabhängig geprüft und können ebenfalls Schäden hervorrufen (siehe weiter oben McDonald's). Es steht eine milliardenschwere Industrie dahinter, die nur im Extremfall durch Behörden oder Politik in die Schranken verwiesen werden kann.

Die Unterhaltungsbranche lockt die Menschen vor die „Flimmerkisten", wie nahe sich die Worte „Unterhaltung" und „Untenhaltung" in diesem Zusammenhang stehen, fällt den wenigsten auf. Man glaubt den Medien, denn diese sind ja neutral, unbestechlich, der Wahrheit verpflichtet... Dass dem nur noch selten so ist, hat der Schweizer Bundespräsident des Jahres 2013, Bundesrat Ueli Maurer, anlässlich der Verlegerversammlung deutlich zum Ausdruck gebracht[41]. Seine ersten Worte waren folgende:

> *Wenn irgendwo der Wurm drin ist, dann reicht es nicht, wenn man sich mit dem Wurm beschäftigt. Besser schaut man sich dann das Ganze an; den ganzen Apfel beispielsweise, ob er vielleicht faul ist; oder den ganzen Baum, ob seine Wurzeln noch in Ordnung sind.*

---

[39] http://www.pro-natura.info/gesundheit/krebs/Krebs_Zucker.html
[40] http://www.heko.ch
[41] http://www.vbs.admin.ch/internet/vbs/de/home/aktuell/reden/detailspeech.50232.nsb.html

Aus diesem Grund hole ich heute etwas weiter aus. Denn ich bin der Meinung, in unserer Medienlandschaft, da ist der Wurm drin ...

Mit dieser Rede hat er sich, von der versammelten „Créme de la Créme" der Medienlandschaft, Buh-Rufe und Pfiffe eingehandelt, allerdings auch einiges an Applaus. Anscheinend waren und sind nur wenige Medienschaffende selbstkritisch genug und erkennen die Problematik. Oder dürfen es nicht sein...

Die Universitäten, vor allem die Ausbildungsstätten für Ärzte, werden nicht unwesentlich von der Industrie mitfinanziert[42]. Ende 2013 wurde eine Erhebung zur Gefährlichkeit von Impfungen in Auftrag gegeben[43], dabei tragen die Impfstoffhersteller einen Grossteil der Studie finanziell mit (fast die Hälfte der 10,7 Mio. Euro). Das Resultat ist schon jetzt absehbar; Zitat:

Diese (Studie) wird helfen, das Vertrauen in Impfprogramme als erfolgreiches Mittel zur Kontrolle von Infektionskrankheiten zu fördern.

Damit ist im Grunde schon alles gesagt, ausserdem reagierte die „Uni Basel" bis zur Drucklegung dieses Buches nicht auf unsere Anfragen um genauere Auskünfte. Warum wird das wohl so sein?

---

[42] http://www.tageswoche.ch/+aypmd
[43] http://www.unibas.ch/index.cfm?uuid=8FA5C8BACEE00F80CD310D3124F7F3C7&type=search&show_long=1

Was das alles mit den drei, eben abgehandelten Krankheitsbildern zu tun hat? Nun - Hand aufs Herz - aus welcher Quelle bezogen denn Sie, liebe Leserin und lieber Leser, bis anhin Ihr Wissen zum Thema Impfen? Vom Arzt? Aus den Zeitungen und Zeitschriften? Aus Fernsehsendungen oder von Freunden? Woher haben diese ihr Wissen darüber?

Wir, bei Kindern stellvertretend die Eltern, tragen für unser „Tun und Lassen" **immer** selbst die Verantwortung, auch bei der Gesundheit und bei den Impfungen. Diese Verantwortung kann aber auch nur dann entsprechend getragen werden, wenn man sich das erforderliche Wissen dazu aneignet! Wie Sie oben bereits gelesen haben, braucht es dazu kein Medizinstudium, es ist, im Gegenteil, dabei meist sogar eher hinderlich, denn es braucht Sie als Autodidakt/in mit einer guten Portion gesundem Menschenverstand. So wie Sie dieses Buch nun fast zu Ende gelesen haben, können und sollten Sie noch weitere Literatur zur Hilfe nehmen, um Ihr Wissen zu vertiefen!

Sollte Sie dieses Buch nachdenklich gemacht haben, dann haben wir unser Ziel erreicht. Wir wollen Sie nicht überzeugen und schon gar nicht dazu überreden, nicht zu impfen. Wir wollen mit diesem Buch aus der „Kleinbuchreihe Impfen", genau zu diesem Nach-, Quer- und Freidenken, sowie zum weiteren Lesen anregen. Nicht ohne den Hintergedanken, Ihre bisherigen Glaubensmuster ins Wanken zu bringen.

Warten Sie ab heute mit sämtlichen Impfungen! Lassen Sie sich erst dann (wieder) impfen, wenn Sie zu 100% von deren Nutzen überzeugt sind, denn einmal geimpft - und Schaden davon getragen - kann nicht mehr rückgängig gemacht werden! Die beschriebenen Krankheiten stellen, bei einer gesundheitsbewussten Lebensweise und heutigem Lebensstandard keine Probleme dar. Seien Sie also alles Andere als gestresst deswegen. Lassen Sie sich von keinem Arzt Druck machen oder Zwang aufsetzen, es gibt nur in einzelnen Regionen der deutschsprachigen Länder einen Impfzwang! Impfen ist meistens freiwillig, auch wenn dies bei einem Arztbesuch nicht immer den Anschein macht. Ungeimpfte Menschen (und auch Tiere) erfreuen sich allgemein einer deutlich besseren Gesundheit als Geimpfte[44].

Nehmen Sie sich **heute** die Zeit, kümmern Sie sich um Ihre Gesundheit und ebenfalls um die Ihrer Kinder, bevor Sie sich **morgen** die Zeit nehmen müssen, sich um Ihre Krankheit kümmern!

Und bitte vergessen Sie nicht:

Eine Lüge ist bereits dreimal um die Erde gelaufen, bevor sich die Wahrheit die Schuhe anzieht.
Mark Twain

---

[44] http://impfentscheid.ch/infos/vergleiche/

Zum Autor

Daniel Trappitsch ist gebürtiger Schweizer, Vater von zwei erwachsenen, ungeimpften Kindern. Er absolvierte in den 90ern die Ausbildung zum Heilpraktiker, leitete während rund 10 Jahren eine eigene Naturheilpraktikerschule. Heute arbeitet er in der eigenen Praxis. Seine Haupttätigkeit liegt jedoch in der Leitung des Netzwerkes Impfentscheid. Er unterrichtet für verschiedene Schulen diverse Themen aus der Naturheilkunde. Ausserdem hält er Vorträge in der gesamten deutschsprachigen Region.

Seine intensive Meinungsbildung zum Impfen begann bereits vor der Geburt des ersten Kindes 1993. Seither beschäftigt ihn das Impfen tagtäglich. 2010 veröffentlichte er sein erstes Buch zum Thema Impfen. Im 2012 folgte der Doppelband zum Thema Entsäuerung. (siehe Literaturverzeichnis)

Literatur

- Albonico, H.-U., Dr. med., Gewaltige Medizin, Haupt Verlag
- Bachmair A., Risiko und Nebenwirkung Impfschaden, Eigenverlag
- Bielau, K., Dr. med, Hausarzt Natur, Styria Verlag
- Bruker, M. O., Dr. med., Allergien müssen nicht sein, emu Verlag
- Bruker, M. O., Dr. med., Biologischer Ratgeber für Mutter und Kind, emu Verlag
- Bruker, M. O., Dr. med., Unsere Nahrung, unser Schicksal, emu Verlag
- Bruker, M. O., Dr. med., Lebensbedingte Krankheiten, emu Verlag
- Bruker, M. O., Dr. med., Ziegelbecker, R., Vorsicht Fluor, emu Verlag
- Bruker, M.O., Dr. med., Zucker, Zucker, emu Verlag
- Buchwald, G., Dr. med., Impfen, das Geschäft mit der Angst, Verlag
- Buchwald, G., Dr. med., Der Rückgang der Schwindsucht trotz „Schutz"-Impfung, Hirthammer Verlag
- Chaitow, L., Vaccination and Immunisation, Saffron Walden Verlag
- Cournoyer, C., Impfschutz für Kinder, Fit fürs Leben Verlag
- Coulter, H. Dr. und Fisher B., Dreifachimpfung, ein Schuss ins
- Dunkle, Barthel & Barthel Verlag
- Coulter, H. Dr., Impfungen, der Grossangriff auf Gehirn und Seele, Hirthammer Verlag
- Delarue, S., Impfschutz, Irrtum oder Lüge?, Hirthammer Verlag
- Delarue, F. und S., Impfungen der unglaubliche Irrtum, Hirthammer Verlag
- Egli J. und Emmenegger J., Felix und Lea, Bilderbuch, Eigenverlag
- Egli J. und Emmenegger J., Förderung der Eigenheilkräfte, erh. Beim Netzwerk Impfentscheid Verlag
- Ehgartner B., Dirty little secret, Die Akte Aluminium, Ennsthaler Verlag
- Enders, N., Dr. med., Bedrohte Kindheit, Haupt Verlag 1996
- Goebel W., Glöckler M., Kinder-Sprechstunde, Verlag Urachhaus
- Graf, F., Dr. med., Die Impfentscheidung, sprangsrade Verlag
- Graf, F., Dr. med., Kritik der Arzneiroutine bei Schwangeren und Kindern, Eigenverlag
- Graf, F., Dr. med., Nicht impfen, was dann?, sprangsrade Verlag
- Graf F., Dr. med., Homöopathie und die Gesunderhaltung von Kindern und Jugendlichen, Sprangsrade Verlag
- Grätz, J.-F., Dr., Klassische Homöopathie für die junge Familie, Hirthammer Verlag, zwei Bände

- Grätz, J.-F., Dr., Sind Impfungen sinnvoll? Ein Ratgeber aus der homöopathischen Praxis, Hirthammer Verlag
- Grätz, J.-F., Dr., Die homöopathischen Potenzen, Hirthammer Verlag
- Grätz J.F., Dr., Sanfte Medizin, Tisani Verlag
- Grollmann H./Maurer U., Homöopathische Selbstbehandlung in Akutfällen, Groma Verlag
- Grollmann H., Maurer U., Klassische Homöopathie verstehen, Groma Verlag
- Kneipp S., Meine Wasserkur – So sollt ihr leben, Ehrenwirth Verlag
- Kneissl G., Dr. med., Impfratgeber aus ganzheitlicher Sicht, Hirthammer Verlag
- Loibner J., Dr. Med. Impfen – das Geschäft mit der Unwissenheit, Eigenverlag
- McTaggart, Lynne, Was Ärzte Ihnen nicht erzählen, Sensei Verlag,
- Mendelsohn, R., Dr. med., Wie Ihr Kind gesund aufwachsen kann – auch ohne Doktor, Verlag Mahajiva
- Mendelsohn, R., Dr. med., Männermacht Medizin, Verlag Mahajiva
- Mendelsohn, R., Dr. med., Trau keinem Doktor: Bekenntnisse eines medizinischen Ketzers, Verlag Mahajiva
- Petek-Dimmer A., Emmenegger J., Rund ums Impfen, Netzwerk Impfentscheid Verlag
- Petek-Dimmer A., Kritische Analyse der Impfproblematik, zwei Bände, Netzwerk Impfentscheid Verlag
- Plotkin, Orenstein, Dres., Vaccines, W. B. Saunders Company
- Quast, U., Thilo, W., Fescharek, R., Dres., Impfreaktionen, Hippokrates Verlag
- Rauch, E., Dr. med., Blut- und Säftereinigung, Haug Verlag
- Rauch, E., Natur- Heilbehandlung der Erkältungs- und Infektionskrankheiten, Haug Verlag
- Roy, C. und R., Kinder mit Homöopathie behandeln, Knaur Verlag
- Renzenbrink, U., Ernährung unserer Kinder, Verlag Freies Geistesleben
- Rosendorff, A., Dr. med., Neue Erkenntnisse in der Naturheilbehandlung, aus fünfzigjähriger Praxis, Turm Verlag
- Ruesch, H., Die Pharma-Story - Der grosse Schwindel, Hirthammer Verlag
- Sandler, B., Dr. med., Vollwerternährung schützt ihr Kind vor Viruserkrankungen, emu Verlag
- Schär-Manzoli, M., Dr., Das Tabu der Impfungen, Eigenverlag
- Scheibner, V., Dr. Impfungen, Immunschwäche und plötzlicher Kindstod, Hirthammer Verlag

- Scheiwiller E., Dr. med., Homöopathie bei akuten Erkrankungen und Notfällen, Urban & Fischer Verlag
- Schwarz Rolf, Impfen – eine verborgene Gefahr?, Verlag Peter Irl
- Similia, Die Zeitschrift für klassische Homöopathie, Ausgabe 17, 1996, Spezialnummer: Impfschäden, Homöosana AG,
- Spiess, H., Dr. med., Impfkompendium, Thieme Verlag
- Splittstoesser, W., Dr. med., Goldrausch, Oder die Frage: Sind Impfungen notwendig, geeignet und zumutbar?, Eigenverlag
- Studer, H.-P., Dr. oec., Impfen, Ratgeber Konsumentenschutz
- Tolzin, H., Die Tetanus Lüge, Tolzin Verlag
- Tolzin, H., Die Seuchen-Erfinder, Tolzin Verlag
- Trappitsch, D., Impfen, Nietsch Verlag
- Trappitsch, D., Entsäuerung, ARGO Verlag
- Zoebl, M., Dr. med., Lesen Sie dieses Buch bevor Sie Impfling, Netzwerk Impfentscheid Verlag Netzwerk Impfentscheid

Alle diese Bücher, inklusive dem vorliegenden Buch „Impfleidfaden", sowie die vierteljährliche Zeitschrift **impf report** *können beim Netzwerk Impfentscheid bzw. bei den verschiedenen, impfkritischen Organisationen bestellt werden. Bitte fordern Sie unseren kostenlosen Bücherkatalog und Flyer zum Thema der Impfproblematik an.*

Verlag Netzwerk Impfentscheid
Wetti 41, CH-9470 Buchs, Tel. +41(0)81633 122 6
E-Mail: info@impfentscheid.ch

Wichtige Adressen

Es gibt in fast allen Ländern impfkritische Organisationen. Die meisten sind miteinander vernetzt und tauschen Informationen aus. In der Schweiz, in Deutschland und Österreich finden regelmässig Impfforen statt. Es ist noch viel Abklärungs- und Aufklärungsarbeit zu leisten. Gesundheit und Wohlergehen sind das Ziel dieser Organisationen. Dieses Nachschlagewerk soll einen kleinen Beitrag dazu leisten.

Schweiz
Netzwerk Impfentscheid, Wetti 41, CH-9470 Buchs
www.impfentscheid.ch, Tel. +41 (0)81 633 122 6
E-Mail: info@impfentscheid.ch

Österreich
AEGIS Österreich, A-8563 Ligist 89, www.aegis.at
Tel. (+43) 03143 297 313, Fax (+43) 03143 29734
E-Mail: info@aegis.at

Luxembourg
AEGIS - Luxembourg, BP 120, L-8303 Cap, www.aegis.lu,
Tel./Fax: +352 2739 7681, E-Mail: contact@aegis.lu

Deutschland
- Schutzverband für Impfgeschädigte e. V. Beethovenstr. 27, D-58840 Plettenberg, www.impfschutzverband.de Fon: 0049 (0)2391 / 10626, Fax 0049 (0)2391) 609366
E-Mail: SFI-EV@t-online.de
- Libertas & Sanitas e. V., Postfach 1205, D 85066 Eichstätt www.libertas-sanitas.de, Fon: 0049 (0)8421) 903707
Fax (08421) 90761, E-Mail: info@libertas-sanitas.de
- Netzwerk für unabhängige Impfaufklärung (NEFUNI) Nefflenallee 2, D-74523 Schwäbisch Hall
Fon (+49) 0791/2041 124-7, Fax (+49) 0791/2041 124-8
E-Mail: moderator@impfkritik.de

Südtirol/Italien
AEGIS Südtirol, Koflerstrasse 16, I- 39030 Pfalzen
Tel.: 0039 0474 528 256, E-Mail: info@aegis-tirol.it

Internetlinks

- www.impfentscheid.ch — Offizielle Website des Netzwerkes Impfentscheid
- www.impfkritik.de — Umfangreiche gut recherchierte Seite von Hans Tolzin
- www.impf-report.de — Zeitschrift zum Thema Impfen (Mitgliederzeitschrift Netzwerk Impfentscheid)
- www.rolf-kron.de — Sehr umfangreiche und empfehlenswerte Seite eines Arztes
- www.impfschaden.info — Umfangreiche Sammlung
- www.impf-info.de — Grundlegende Impfinfos
- www.impffreiheit.de — Homepage zu Tierimpfungen
- http://www.ehgartner.blogspot.de/ sehr informative Seite von Bernd Ehgartner (Aluminium)
- www.groma.ch — gute Quellen auf der Suche nach Impfschäden und Impfinformationen
- www.artis-seminare.ch — Impfsymposiumorganisation
- www.chemtrails-info.de/impfaberglauben/impfspiegel.htm
  300 Aussprüche ärztlicher Autoritäten über die Impffrage
- www.wahrheitsnetz.com — Salzburger Vereinigung impfkritischer Gruppen (Studie ungeimpft/geimpft)
- www.Klagemauer.tv — Videos zum Thema
- www.alpenparlament.tv — Die Internetplattform für alternative Infos, auch zum Impfen

Weitere Links finden Sie über Google. Ebenfalls existieren verschiedene Gruppen und Seiten im Facebook.

Kleinbuchreihe Impfen

Mit dieser Kleinbuchreihe Impfen möchte das Netzwerk Impfentscheid die weitläufige und sehr oft kontrovers diskutierte Thematik des Impfens mittels einfach, aber dennoch verständlich zu lesender, kleiner Bücher dem breiten Publikum zugänglich machen. Durch das Lesen dieser Bücher mit maximal 100 "All-inclusiv" Seiten verschafft man sich über ein spezifisches Thema sehr schnell die Übersicht, um seine eigene Meinung bilden und weitere Entscheide fällen zu können.

Diese Buchreihe, gestartet im Jahr 2013, wird laufend ergänzt. Die weiteren Informationen erhalten Sie auf der Website www.kleinbuchserie-impfen.eu oder direkt beim

Netzwerk Impfentscheid
Wetti 41 | 9470 Buchs
+41 (0)81 633 12 26
info@kleinbuchreihe-impfen.eu
info@impfentscheid.ch

Überarbeitete und ergänzte Neuauflage!

Rund ums Impfen ist ein übersichtliches Nachschlagewerk, in welchem jede Krankheit mit ihren Behandlungsmöglichkeiten, sowie die dazugehörige Impfung mit Zusatzstoffen, Nebenwirkungen, etc. genau beschrieben wird. Zusätzliche Hinweise, was im Falle des Impfens zu beachten ist, runden das Buch ab. Es enthält ausserdem Adressen von allen impfkritischen Organisationen in den deutschsprachigen Ländern, die umfassend über das Thema Impfen aufklären, sowie die verschiedenen Impfpläne.

Julia Emmenegger, die diese 6. Auflage erweitert hat, kommt aus der Praxis. In ihrer über 30-jährigen Tätigkeit in der Mütter-und Väterberatung hat sie die Entwicklung der Impfungen miterlebt. Von der Impfbefürworterin wurde sie, durch die negativen Erfahrungen nach Impfungen, zur Impfkritikerin. Es ist ihr ein Anliegen, dass sich medizinische Laien leicht verständlich und gleichzeitig umfassend zum Thema Impfen informieren können.

Das Buch Rund ums Impfen ist das Einsteigerwerk für Schwangere, junge Eltern, aber auch für alle anderen Menschen, die sich mehr oder weniger am Beginn der Wissensbildung zum Thema Impfen befinden. Das Thema Impfen wird sehr kontrovers diskutiert, nicht nur deshalb ist ein eigenes Wissen mehr als nur nötig, um selber entscheiden zu können. Denn die Verantwortung tragen wir für unser Tun IMMER selbst!

Julia Emmenegger, Anita Petek-Dimmer
230 Seiten kartoniert | CHF 19.90 | € 15.50
ISBN: 978-3-905353-02-0
Bei Ihrem impfkritischen Landesverband oder in jeder Buchhandlung.

Auch als E-Book erhältlich

Anita Petek-Dimmer

Kritische Analyse der Impfproblematik

Ein Kompendium über die wahre Natur der Impfungen, ihre Pathogenität und Wirkungslosigkeit

Die Autorin war im deutschsprachigen Raum bestens bekannt als profunde Kennerin des Impfwesens. Seit mehr als zwanzig Jahre befasste sie sich eingehend mit dieser Thematik. Diese beiden Bände sind aufgrund eines intensiven Literaturstudiums sowie zahllosen Diskussionen mit Ärzten, Biologen und Immunologen entstanden. Mit ihrer Fülle an Material gibt es derzeit kein vergleichbares Buch zu diesem Thema auf dem Büchermarkt. Die beiden Bücher sind mit ihren ausführlichen und reichlichen Quellenangaben auch eine wertvolle Hilfe für diejenigen, die sich weiter in die Materie vertiefen wollen. Besonders für Therapeuten sind sie in ihrer täglichen Arbeit als grosse Stütze gedacht.

In **Band 1** sind sämtliche für unsere Kinder empfohlenen Impfungen, einschliesslich Grippe, Pneumokokken und Meningokokken detailliert beschrieben. Angefangen von der Geschichte der einzelnen Krankheiten, ihrer Behandlung und evtl. Komplikationen wird über die dazugehörigen Impfstoffe, ihre jeweiligen Nebenwirkungen, Zusatzstoffe sowie ausführlich über die Wirksamkeitsstudien berichtet.

In einem eigenen, grossen Kapitel wird der Frage über die wahre Ursache von Krankheiten nachgegangen. Bei einem Blick zurück in die Geschichte der Impfungen beschreibt die Autorin die verhängnisvolle Wende in der Medizin, die durch Louis Pasteur und Robert Koch eingeleitet wurde und die die heutige Medizin in eine Sackgasse geführt hat. Sehr ausführlich ging sie auf den Pleomorphismus ein, also auf die wirkliche Rolle und Aufgabe der Mikroben in unserem Organismus. Wenn man diese grundlegenden Dinge verstanden hat, weiss man auch, wieso die Antigen-Antikörper-Theorie nicht stimmen kann.

In **Band 2** sind alle 2006 erhältlichen Reiseimpfungen ebenso ausführlich beschrieben wie im ersten Band die Allgemeinimpfungen. Als bisher erstes Buch im deutschsprachigen Raum enthält es zudem sämtliche Tierimpfungen, detailliert beschrieben und mit vielen Beispielen versehen. Ein umfangreiches Kapitel ist den Impfzusatzstoffen gewidmet, ihrer Bedeutung, Herkunft und Wirkung auf den Menschen, bzw. die Tiere. Eine Sammlung dieser Fakten ist bislang einzigartig in der Literatur.

Jeder Band enthält ca. 420 Seiten, gebunden.

Band 1, ISBN 978-3-905353-56-3
Band 2, IBSN 978-3-905353-57-1

Julia Emmenegger, Judith Egli

Förderung der Eigenheilkräfte

Gesundheits- und Krankenpflege mit natürlichen Anwendungen für Gross und Klein

Dieses Buch gehört in jeden Haushalt.

Hier finden Sie altes Wissen unserer Grossmütter,

das in Vergessenheit zu geraten droht

Viele Menschen stehen bei alltäglichen gesundheitlichen Störungen ratlos da. Sie wissen sich und ihren Kindern nicht zu helfen. Dieses Buch erörtert die Grundlagen zur Gesunderhaltung. Es zeigt auf, wie mit einfachen Massnahmen wie Bädern, Wickeln, Kräuteranwendungen, angepasster Ernährung, der nötigen Ruhe und einer positiven Lebenseinstellung die Eigenheilkräfte angeregt werden können, um die Selbstheilung einzuleiten. Dazu braucht es keine besonderen Einrichtungen oder kostspieligen Anschaffungen. Das Vorgehen und die korrekte Handhabung der Heilmethoden ist für alle erlernbar.

Die Autorinnen geben regelmässig Kurse, an denen dieses Wissen anschaulich demonstriert und weitergegeben wird.

ISBN 978-3-905353-60-1

Impfen

Eine kritische Darstellung aus ganzheitlicher Sicht

Auswirkungen auf die körperliche und seelische Entwicklung des Menschen

Ein detaillierter Ratgeber für Eltern, Heilpraktiker und Ärzte

Impfen soll den menschlichen Organismus künstlich vor Infektionen schützen. Noch heute wird behauptet, dass Impfungen einen medizinischen Sinn hätten und eine der grössten Errungenschaften seien. Aus ganzheitlicher Sicht werden gegen Impfungen jedoch sehr kritische Einwände erhoben. Sie stören nicht nur das Gleichgewicht unseres Immunsystems und können zu Folgekrankheiten wie Allergien und Entzündungen führen. Sie sind auch unter Schulmedizinern allein aufgrund ihrer gefährlichen Zusatzstoffe umstritten, wie die Diskussion um den H1N1-Impfstoff zeigt. Impfungen behindern die ganzheitliche Entwicklung, vor allem die des Kindes, mit den entsprechenden Auswirkungen bis ins Erwachsenenalter.

Daniel Trappitsch hat eine umfassende Bestandsaufnahme zum Thema „Impfen" gemacht, die die historischen Hintergründe darstellt, medizinisch-naturwissenschaftliche Grundlagen erklärt, Impfkritiker und Impfbefürworter berücksichtigt, Impfstoffe und die durch sie bewirkten Impfschäden behandelt, sowie aufzeigt, wie Impfen die spirituelle Entwicklung des Menschen beeinträchtigt.

Erschienen im Nietsch Verlag, Freiburg

270 Seiten | Hardcover

ISBN 978-3-939570-75-2

Lesen Sie dieses Buch bevor Sie Impfling

Dieses Buch ist für all jene geschrieben, die keine Imp*fberatung*, sondern eine Imp*fbefreiung* suchen

Dr. med. August M. Zoebl, Jahrgang 1966, Arzt und Consultant, sehr tolerant (hat nichts gegen Schulmediziner, solange sie ihre Grenzen kennen). Hält den Erreger für einen Teil des Immunsystems.

Die Frage „*Soll ich impfen oder nicht?*" ist nicht lösbar, solange wir noch immer *glauben*, dass der Erreger einen *Eindringling* darstellt und das Immunsystem der *Abwehr* von Erregern dient.

In dem Moment, wo wir *erkennen,* das der Erreger ein unverzichtbarer *Teil* des *Immunsystems* ist und beide zusammenarbeiten, verschwindet unsere Angst vor Erregern und damit auch die Notwendigkeit des Impfens ins völlige Nichts. Die Erregerphobie verschwindet in gleicher Weise, wie die Angst der alten Seefahrer vor dem Hinunterfallen von der Erdscheibe verschwand, als man erkannte, dass die Erde keine Scheibe, sondern eine Kugel ist. Nicht das Immunsystem war unvollkommen, sondern unsere *Sichtweise* vom Immunsystem.

Es geht nicht darum, etwas zu verändern oder zu verbessern, sondern darum, aus einer selbst gemachten Furcht aufzuwachen. Erst dann können wir das Impfen als das erkennen, was es immer schon war: Ein reines Kunstprodukt einer erregerzentrierten (= bakteriozentrischen) Sichtweise.

Erschienen im Netzwerk Impfentscheid Verlag, Buchs

208 Seiten | Hardcover

ISBN 3-905353-59-8

Impfen, Segen oder doch ein Problem?

Die wichtigste Aufgabe, welche wir uns als Verein gesetzt haben, ist die gezielte Aufklärung über Impfungen, sowohl bei Menschen als auch bei Tieren, ihre Gefährlichkeit und Wirkungslosigkeit. Deshalb bieten wir Vorträge an. Die Vorträge richten sich in erster Linie an Eltern mit Kindern, Ärzte und Menschen aus dem Gesundheits- und Erziehungswesen. Je nach Zielgruppe ist der Inhalt des Vortrages entsprechend angepasst. Rufen Sie uns bitte an, wenn Sie einen Vortrag in Ihrer Nähe wünschen. Für Ärzte, Krankenschwestern, Hebammen, usw. für Therapeuten der verschiedenen Heilfachrichtungen halten wir sowohl Vorträge als auch Fortbildungen zum Thema Impfen.

Auf der Homepage der jeweiligen impfkritischen Organisationen sind die aktuellen Daten der öffentlichen Vorträge laufend ausgeschrieben, sowie auch in der neuesten Ausgabe der Zeitschrift **impf report**. Gerne geben wir auch telefonisch Auskunft. Es ist uns ein Anliegen, möglichst viele Menschen zu erreichen.

In den einzelnen deutschsprachigen Ländern finden regelmässig ganztägige Impfforen mit internationalen Referenten statt.

Mitgliedschaft bei einer länderspezifischen impfkritischen Organisation

Sie sind ganz herzlich eingeladen, Mitglied eines länderspezifischen impfkritischen Vereins zu werden. Damit werden Sie durch regelmässige Infos, z. B. den **Impf-report,** zu den Themen Impfen, Gesundheit und Ernährung informiert. Sie helfen auf diese Weise mit bei der Wahrung der Impffreiheit, die in vielen Ländern immer mehr eingeschränkt werden soll.

Infos erhalten Sie hier:
Netzwerk Impfentscheid
Wetti 41, CH-9470 Buchs, Tel.(+41) 081 633 122 6
E-Mail: info@impfentscheid.ch, www.impfentscheid.ch